［目隠しシート］

このシートを切りとり、開いているページにのせると、和訳や英文を隠すことができます。
切り取ってぜひ活用してみてください。

困ったときに使えるフレーズです。シチュエーションに合わせてとっさに使えるように、
普段から口に出して練習しておきましょう。

シチュエーション	英語と日本語訳
数秒稼ぎたい	**Well, let's see…** えっと、そうですね…… **That's a good question.** それは良い質問ですね。
聞き取れなかっ…	**Sorry, I didn't get the question.** **Could yo…** …た。
質問の意… わからな…	**… question.** …えますか？
聞き返しても わからなかった	**I'm afraid I'm not entirely familiar with this topic, but I guess…** このテーマはあまり詳しくないのですが、思うに…… （この後、できる限り質問文を推測して答える）
解答の途中で やり直したい	**Anyway, what I'm trying to say is…** とにかく私が言いたいのは…… **Let me start all over again.** もう一度、最初からやり直します。
日本語でも答えられないであろう質問内容	**I haven't given much thought to that, but I believe...** それについてはあまり考えたことがないのですが、きっと…… （この後、できる限りの範囲で答える）

分野別 × 言い換え力

スピーキング攻略 IELTS英単語

IELTS実施主体IDP
Educationセミナー講師

中林くみこ

はじめに

「スピーキング特化」の理由

IELTSスピーキングで7.0を取れる単語力って、どんなものだと思いますか？

多くの人が誤解しているのですが、「今まで見たこともない、難しい単語を知っていること」ではありません。

「ちょっと良い単語を良い場面で、正しく使えること」

……これが大事です。

難しい単語ではなく、簡単すぎる単語でもなく、ちょっとだけ試験官を「オッ」と思わせるくらいの単語を、自分のものとして「使いこなす」ことが何より重要、それがIELTSスピーキングです。

IELTSスピーキング対策に対峙した時、多くの人はどこからやれば良いのか、途方にくれます。そんな中、とてもわかりやすいのが「単語」です。そこでやってしまいがちなのが、「とにかく難しそうな単語を覚えて、使うこと」、なのですが……

難しい単語を無理に使ってしまうと、スピーキングの解答が、相当に違和感を与える不自然なものになってしまいます。どういうことかというと、

・単語のチョイスが、普通は会話では使われないもの

・簡単な単語と難しい単語のミックスになってしまい、全体として小学生と大人の組み合わせのように聞こえる

・正しく使えずに結局ミスが多い文章になってしまう

ということがおきてしまいます。

実際に、私はこのような違和感を与えるスピーキング解答に数多く直面してきて、悩みの種でした。しかし、そのようにしてしまう気持ちもわかります。既存のIELTS単語集は、4技能のうち、何に使えるのかが示されていないことが多く、難しい単語まで覚えて「すべての単語をスピーキングにも使わなければいけない」と思ってしまうからです。

なぜこの本が「スピーキング特化」なのか、という理由はそこにあります。この本を出版するお話をいただいた時に私はとても嬉しく、これでIELTSスピーキングの学習者を救うことができる、と確信しました。

単語は「使える」ことがすべて

意味を知っている単語がたくさんあっても、その単語が「使えない」という人は多いです。たくさん単語を覚えても

なかなかしゃべれるようにならないのです。実際に話したり書いたりする段になると、思い出せなかったり、正しく使えなかったりする、ということですね。

　せっかく覚えたのに、意味はなんとなくわかるけど使えるまでに至っていない単語……こういった単語のことを「受動語彙」と言ったりします。

　例えば100個の単語を覚えたとして、そのうち10個しか使えないのであれば、もともと10個だけを覚えて、その10個すべてを使えるようにしたほうが、効率がずっと良い、というわけです。単語を勉強しているのになかなかしゃべれるようにならない……という悩みを抱えずにすみますよ。

　では実際に、どうすれば覚えた単語を使えるようになるのでしょうか？　それは、例文も一緒に覚えることです。しかも、日本語を聞いたら英語の文章がすっと出てきて、自分が使っているイメージもできるくらいに能動的に使える状態にしていくのです。

　また、単語は短いサイクルを何度も回して暗記しないと、記憶に定着しません。そのためには、机に向かって30分のまとまった時間を取るよりも、細切れに10分ずつを3回行ったほうが効果が高くなります。どこにでも持ち歩いてすぐに取り出して学習ができるように、かばんに簡単に入るサイズにしました。

見出し語の選定基準

もしかすると、他の単語集と比べて語数が少ない、と思われた方も居るかもしれません。

この本にある単語は下記のような基準にしたがって選んでいます。

① 何よりもIELTSスピーキングで7.0を取ることができる、上質かつ実用的なもの

IELTSスピーキングで7.0以上を目指す場合であっても、単語・熟語についてはこの本以上のものを使う必要はありません。

② 普段の会話にも活かせるもの

IELTSスピーキングは、とにかく「自然なスピーキング」に重点が置かれて評価されるため、①と②は矛盾するものではありません。この本にある単語を覚えて使えるようになると、日常の英会話もレベルアップさせることができます。

③ 語彙を横方向にも広げる

見出し語だけを見ると、runやtravelといったような「あ

れ？これは初級単語ではないの？」と疑問に思うような語も含まれています。こういった語は「語彙を横方向にも広げてほしい」という思いから含んでいます。例えばrunは経営する、travelは移動する（旅行だけではなく、通勤などにも使う）という意味があります。

　このように、すでに知っている単語でも、違う意味でよく使われている！ということを伝えるためにいくつか混ぜています。知っている単語なので、スペルや発音を改めて覚える必要がないのに、表現できることはグンと増えるので、非常にコスパが良いと言えます。

　上記のような基準によって厳選に厳選を重ねた822語を記載し、この本にある語が使えたらIELTSスピーキングの単語ポイントについては完璧！という本を作り上げました。

　上で述べたように、意味は知っているけど使えない、という単語をいたずらに増やしていくのではなく、覚えた単語すべてを実際に使って話すことができる、これがこの本の目指すところです。

　「数の多さが勝負」という信仰をやめて、「いかに効率よく語彙を増やし、表現の幅を増やすか」ということにフォーカスしてほしいというのが私の願いです。

［IELTS　目次］

はじめに

単語

Contents

Contents

[本書の使い方]

1 分野別

IELTSスピーキングで頻出の12分野に分け、各テーマについて話す時に必要な単語を効果的に覚えられるようになっています。

2 チェック欄

□のチェック欄には、理解度に応じて印をつけて、復習に使いましょう。

3 本書で使われている記号について

名…名詞
代…代名詞
可…加算名詞
不…不可算名詞
動…動詞
他…他動詞
自…自動詞
形…形容詞
副…副詞
前…前置詞
派…派生語
反…反対語

4

1 [家族] ❶

1

単語	日本語訳	言い換え・関連語
□□□ sibling [sibliŋ] 名 可	兄弟姉妹、きょうだい	brother, sister
□□□ in-law [inlɔ] 名 可	姻戚関係	-
□□□ relative [rélətiv] 名 可 ▶ 反 in... e family	親族、親戚	-
□□□ parenting [pé(ə)rəntiŋ] 名 不 ▶ 動 名 parent	育児	raising children
□□□ breadwinner [brédwinə] 名 可 ▶ 反 dual-income couple, double-income couple, working couple	(経済的な)大黒柱	the sole provider of the household
□□□ upbringing [ʌpbriŋiŋ] 名 不 ▶ 動 bring up	育ち方、育ち	a way of raising/bringing up a child
□□□ company [kʌmpəni] 名 不 ▶ 動 accompany	一緒にいること	presence, friendship
□□□ characteristic [kæriktərístik] 名 可	性格、資質	personality, trait, nature

(20)

言い換え

「言い換え表現・関連語」の欄には、もともとの単語（見出し語）に関連した語を載せており、語によってはそのまま言い換えすることもできます。試験官から出された問題文で使われている単語から、自分が答える時に違う単語を使ったり、自分の解答の中で2回目、3回目に同じ意味のことを言いたい時に違う単語を使うと、IELTSスピーキングの語彙ポイントが上がります。

例文の日本語訳	例文	備考
きょうだいの 5 悪いと、親は不安を感じるものです。	Sibling rivalry often causes parents anxiety.	brotherやsisterを総称する言葉。
私の義理の親戚はみんな遠くに住んでいます。	All my in-laws live far away.	in-lawに複数形の「s」を付けると、義理の親戚（婚姻によって出来た関係性の人全員）を指す言葉になる。
毎年夏になると、親戚一同を集めて盛大なピクニックを開きます。	Every summer, we host a big picnic for all our relatives.	
育児はストレスがたまることもありますが、それだけの価値があるものです。	Parenting can be sometimes stressful but rewarding.	「育児」というとraise childrenという表現が思いつくが、parentingが実はよく使われる表現。childrenなどの目的語も要らないので便利。
男性は一家の大黒柱として期待されることが多いです。	Men are often expected to be the breadwinner in the family.	家族の形態について聞かれることが多いIELTSスピーキングにおいて便利な単語。
育ちによって、私の人生のすべてが決まりました。	My upbringing shaped my whole life.	
彼女と一緒にいると、たいてい楽しいです。	I usually enjoy her company.	company=会社と思っている人が多いが、こちらも自然な英語としてよく使われる。
子どもは両親の性格を受け継ぐことが多いです。	In many cases, children inherit their parents' characteristics.	多くの場面において、複数形で使われる。

5 例文

IELTSスピーキングでそのまま使えるような例文です。英語の文章を口に出すトレーニングができるようになっています。
例文には音声が付属しており、日本語を聞いて英語を瞬発的に口に出す練習をすることができます。
また、巻頭のしおりを使って、口に出せない時でも、英語部分を隠しながら自分でテストしていくことができます。本書だけでIELTSスピーキングの対策がしっかりできるようになっています。

[本書の使い方]

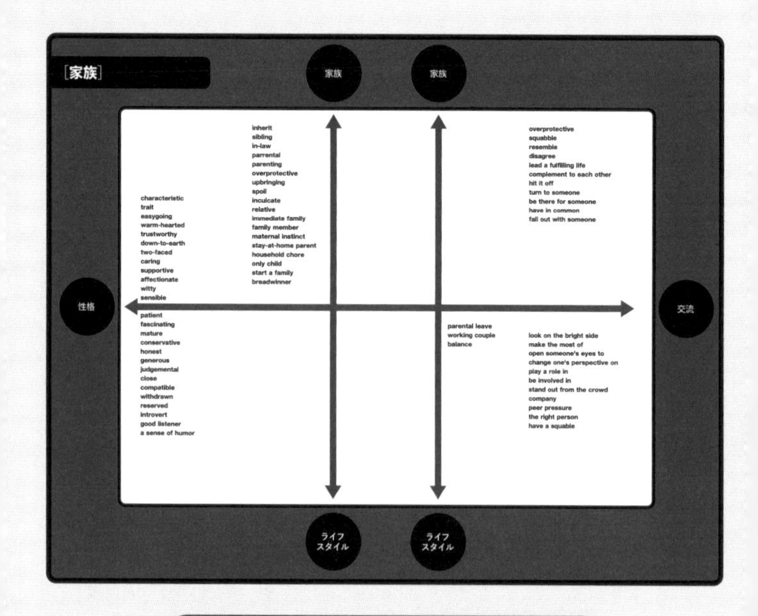

5

分布表

単語に限らず、暗記全般のコツは、様々な角度から覚えていくことです。そのため、視覚的なイメージでも意味をつかむことができるように、分野ごとに分布表を作りました。
各単語のイメージを一望することができます。

練習問題

Question 1

Could you tell me about your favorite family member?

It's my mom. She is warm-hearted and trustworthy and an excellent listener, so whenever I need some counseling regarding anything in my life, I turn to her.

あなたの好きな家族の一員について教えてください。
それは母です。母は優しくて信頼がおける人で、とても聞き上手です。ですので、人生の何かについて相談したい時にはいつも母を頼りにします。

Question 2

What type of family do you have?

I have an extended family with six members. I enjoy living in a big family because I like every one of them, and they are always there for me whenever I feel troubled or depressed.

* feel troubled: 悩みをもつ

あなたの家族はどのようなタイプですか？
私は6人の大家族です。私は大家族が良いと思っています。6人すべての人が好きで、私が悩んだり落ち込んだりしたときにはいつも私の力になってくれるからです。

Question 3

How easy is it to raise children in Japan?

Parenting is a significant challenge in Japan, unfortunately. The country is well known for the strength of peer pressure, which means that as a parent, you would always have to worry about what others think. Also, society is still very conservative compared to most developed countries, and people have a hard time balancing their work with family. One of the most considerable problems is that women are too busy because the majority of men are either too occupied with their work or too conservative, believing that women should do all the household chores and raise the children. My female friends raising infants and toddlers always complain about their husbands being unwilling to get involved in parenting.

* a great challenge：大いなる挑戦（かなり大変なこと）※「チャレンジ」という日本語を英語にするなら"try"のほうが適切。
* worry about what others think：他の人がどう思うかを気にする
* have a hard time -ing：～することが難しく思う

日本での育児の難易度はどれくらいですか？
残念ながら、日本では育児というのはとても大変です。日本は同調圧力でよく知られており、親として、他人がどう思うかということをいつも気にしている、ということがあるからです。また、多くの先進国に比べ、日本社会はまだかなり保守的であり、仕事と家庭のバランスを取るのが難しいです。

練習問題

この本で学習していただく目的はIELTSスピーキングで目標スコアを取ること。なので、実際に単語を使ってスピーキングにおける解答のイメージをつけられるように、サンプルの問題と模範解答を用意しました。

効果的な活用法

Step ①

見出し語を例文を含めすべて読み、例文ごと覚えていきます。短いサイクルで何度も回していくようにします。

例えば、週に50語ペースの場合、その週は毎日その50語と例文を覚えるようにします。

1日目：10%覚える
2日目：20%覚える
3日目：40%覚える
4日目：60%覚える
5日目：80%覚える
6日目：90%覚える
7日目：100%覚える

という感じで、1日で完璧にするのではなく、その週は該当の50語を毎日暗記するようにして、だんだんと記憶に定着させていきます。薄いレイヤーを重ねていくようなイメージです。数字はあくまでも目安なのでご自分が取れる時間や状況などに合わせて調節してください。

暗記していく際には、付属の目隠しシートや音声を使い、日本語の文を見たり聞いたりしたら英文が口から出てくるように、自分で自分にテストをしていきましょう。できなかった語にはチェックを付けて、次の日以降に重点的に見直します。

Step ②

Step 1で1冊終わったら、もう一度最初に戻って、**記憶があいまいになっている語を重点的に補強**していきましょう。Step 1よりもさらに、例文の細かいところまで覚える意識で。

Step ③

Step 2が終わったら、もう一度最初に戻って、**「言い換え表現・関連語」にある語を使い、例文を少しずつ言い換え**てみましょう。注釈を参考にニュアンスの違いも理解しながら、自分が使える例文の数を増やしていきましょう。

Step ④

Step 3が終わったら、**例文の中の語を少しずつ自分の状況に合わせて変えていきましょう**。例えば、I grew up in the countryside, surrounded by the beauties of nature.（私は田舎で、美しい自然に囲まれて育ちました。）という例文で、実際は都会で育ったのであれば、the countryside→the city, the beauties of nature→towering skyscrapers に変えて、I grew up in the city, surrounded by towering skyscrapers.（私は都会で、そびえ立つ高層ビルに囲まれて育ちました。）のように変えます。完璧主義にならず、できる範囲で構いませんので、1語だけでも変えてみるチャレンジをしてみましょう。できるだけ自分がIELTSスピーキングの状況で試験官に向かって話しているイメージを持ちながら話すことが重要です。

音声について

日本語→英語　の順番に例文の音声が収録されています。英語を追いかけて発音してみたり、日本語を聞いて英語のフレーズを考えて同時に話してみる、など自分のレベルにあった練習ができます。

音声ファイルは、明日香出版社のサイトにアクセスしてダウンロードしてください。

パソコンやスマートフォン機器等の端末でお聞きいただけます。

パスワード【2423363】

https://www.asuka-g.co.jp/dl/isbn978-4-7569-2336-3/index.html

※ファイルサイズの大きな音声ファイルをインストールするためWi-Fiの利用を前提としています。
※ダウンロードの不具合が生じた際は、キャリア・機器メーカーにお問い合わせください。
※ダウンロードした音声ファイルのアプリ以外での再生方法についてはお使いの機器メーカーにお問い合わせください。
※図書館利用者も、お使いいただけます。本と一緒に貸出利用ください。

■語学音声アプリ「ASUKALA」

明日香出版社の語学書音声の無料再生アプリが新しくなり音源をパソコンにダウンロードした後に、お使いのスマートフォン機器へ移すなどの作業をすることなく、快適にお使いいただけるようになりました。一度音源をダウンロードすれば、後はいつでもどこでも聞くことができます。

音声の再生速度を変えて聞くことができ、書籍内容の習得に有効です。

個人情報等の入力等は不要ですので、ぜひアプリをダウンロードしてお使いください。

※スマートフォンアプリは書籍に付帯するサービスではありません。予告なく終了することがございます。

[家族]

家族

inherit
sibling
in-law
parental
parenting
overprotective
upbringing
spoil
inculcate
relative
immediate family
family member
maternal instinct
stay-at-home parent
household chore
only child
start a family
breadwinner

性格

characteristic
trait
easygoing
warm-hearted
trustworthy
down-to-earth
two-faced
caring
supportive
affectionate
witty
sensible
patient
fascinating
mature
conservative
honest
generous
judgemental
close
compatible
withdrawn
reserved
introvert
good listener
a sense of humor

ライフ
スタイル

家族

interact
resemble
disagree
lead a fulfilling life
complement to each other
hit it off
turn to someone
be there for someone
have in common
fall out with someone

交流

parental leave
working couple
balance

look on the bright side
make the most of
open someone's eyes to
change one's perspective on
play a role in
be involved in
stand out from the crowd
company
peer pressure
the right person
have a squable

ライフ
スタイル

[家族] ❶

1

単語	日本語訳	言い換え・関連語
□□□ **sibling** [síbliŋ] 名 可	兄弟姉妹、きょうだい	**brother, sister**
□□□ **in-law** [ínlɔ] 名 可	姻戚関係	-
□□□ **relative** [rélətiv] 名 可 ▶ 反 immediate family	親族、親戚	-
□□□ **parenting** [pé(ə)rəntiŋ] 名 不 ▶ 動 名 parent	育児	**raising chil-dren**
□□□ **breadwinner** [brédwìnɚ] 名 可 ▶ 反 dual-income couple, double-income couple, working couple	(経済的な)大黒柱	**the sole pro-vider of the household**
□□□ **upbringing** [ʌpbrìŋiŋ] 名 不 ▶ 動 bring up	育ち方、育ち	**a way of rais-ing/bringing up a child**
□□□ **company** [kʌmpəni] 名 不 ▶ 動 accompany	一緒にいること	**presence, friendship**
□□□ **characteristic** [kæriktərístik] 名 可	性格、資質	**personality, trait, nature**

例文の日本語訳	例文	備考
きょうだいの仲が悪いと、親は不安を感じるものです。	Sibling rivalry often causes parents anxiety.	brotherやsisterを総称する言葉。
私の義理の親戚はみんな遠くに住んでいます。	All my in-laws live far away.	in-lawに複数形の「s」を付けると、義理の親戚（婚姻によって出来た関係性の人全員）を指す言葉になる。
毎年夏になると、親戚一同を集めて盛大なピクニックを開きます。	Every summer, we host a big picnic for all our relatives.	
育児はストレスがたまることもありますが、それだけの価値があるものです。	Parenting can be sometimes stressful but rewarding.	「育児」というとraise childrenという表現が思いつくが、parentingが実はよく使われる表現。childrenなどの目的語も要らないので便利。
男性は一家の大黒柱として期待されることが多いです。	Men are often expected to be the breadwinner in the family.	家族の形態について聞かれることが多いIELTSスピーキングにおいて便利な単語。
育ちによって、私の人生のすべてが決まりました。	My upbringing shaped my whole life.	
彼女と一緒にいると、たいてい楽しいです。	I usually enjoy her company.	company=会社と思っている人が多いが、こちらも自然な英語としてよく使われる。
子どもは両親の性格を受け継ぐことが多いです。	In many cases, children inherit their parents' characteristics.	多くの場面において、複数形で使われる。

［家族］❷

2

単語	日本語訳	言い換え・関連語
□□□ **trait** [tréit] 名 可	性格、資質	personality, characteristic, nature
□□□ **introvert** [íntrəvəːrt] 名 可 ▶ 反 extrovert	内向的な人	reserved person
□□□ **interact** [ìntərǽkt] 自 動 ▶ 名 interaction 形 interactive	交流する	communicate
□□□ **resemble** [rizémbl] 他 動 ▶ 名 resemblance	似ている	be similar to ～
□□□ **inherit** [inhérit] 他 動 ▶ 形 inherent生まれつきの	受け継ぐ	take in ～
□□□ **spoil** [spɔil] 他 動 ▶ 形 spoiled	甘やかしすぎる	overindulge
□□□ **balance** [bǽləns] 他 動 ▶ 動 名 unbalance	バランスをとる	equalize
□□□ **inculcate** [inkʌlkeit] 他 動	植え付ける	implant
□□□ **disagree** [dìsəgríː] 自 動 ▶ 名 disagreement	意見が合わない	contradict, hold different opinions

例文の日本語訳	例文	備考
忍耐強さは、彼女が父親から受け継いだ性格です。	**Patience is a trait she inherited from her father.**	
私は、内向的なので大きなパーティーよりも小さな集まりのほうが好きです。	**I'm an introvert and prefer small gatherings to large parties.**	
私の娘は保育園で他の幼児と交流するのが好きです。	**My daughter likes to interact with other toddlers at nursery school.**	inter（交わる）という接頭辞にact（行動）が付いたものと考えると、覚えやすい。
私は大人になって母親似になりました。	**I grew up to resemble my mother.**	「似ている」という状態が動詞になるというのは日本人にはイメージしにくいが、実際にはよく使われる。
両親からたくさんの特性を受け継ぎました。	**I inherited many of my characteristics from my parents.**	物質的なもの（財産など）を受け継ぐことにも使われる。
子どもを甘やかしすぎる母親は多いです。	**A lot of mothers can spoil their children.**	ただ「甘やかす」だけではなくネガティブな意味がある単語。
私はキャリアと家庭生活のバランスをとり、どちらもおろそかにしないようにしています。	**I balance my career with my family life to ensure neither is neglected.**	「AとBのバランスを取る」という意味でwithという前置詞を使う。名詞で覚えている人が多いが、動詞としても使いやすい。
親は自分の子どもに責任感を植え付けようとします。	**Parents try to inculcate a sense of responsibility in their children.**	
親友とそのことについて意見が合いませんでした。	**I disagreed with my best friend on that matter.**	disagree with 人 about/on テーマの形で使われることが多い。

[家族] ❸

3

単語	日本語訳	言い換え・関連語
□□□ **parental** [pəréntl] 形	親の	**maternal, paternal**
□□□ **overprotective** [óuvərprətéktiv] 形 ▶ 名 overprotection	過保護の	**controlling**
□□□ **easygoing** [í:zigóuiŋ] 形 ▶ 反 nervous	のんきな、寛大な	**relaxed, laid-back**
□□□ **warm-hearted** [wɔrmhɑrtid] 形 ▶ 反 aloof	優しい	**gentle, thoughtful**
□□□ **trustworthy** [trʌstwɚ:ði] 形 ▶ 名 trustworthiness 反 unreliable	信頼のおける	**reliable, genuine, impartial**
□□□ **down-to-earth** [dàuntuə:r θ] 形 ▶ 反 unrealistic, idealistic	地に足のついた	**realistic, sensible, practical**
□□□ **two-faced** [tù:féist] 形 ▶ 反 honest	裏表がある	**deceitful, dishonest**
□□□ **caring** [kéəriŋ] 形 ▶ 反 cold-blooded, unfriendly	思いやりのある	**affectionate, warm-hearted**

	例文の日本語訳	例文	備考
	親が一緒に観なければいけないようなTV番組は多いです。	**Many TV programs need parental guidance.**	guidance, choice, responsibility, control といった単語が後につくことが多い。
	過保護な両親の子どもは自立するのが難しいかもしれません。	**A child with overprotective parents may have a hard time developing independence.**	
	私の母はとてものんきな人です。	**My mother is a very easygoing person.**	人だけではなく場所や雰囲気を表現するためにも使う。
	私の近所の人々は優しくてフレンドリーです。	**My neighbors are warm-hearted and friendly.**	真ん中のハイフンが無く一語として扱っているケースも多い(IELTSではどちらもOK)。
	私はたいてい信頼のおける近所の人にスペアキーを預けます。	**I usually leave a spare key with a trustworthy neighbor.**	leave ～ with ～で「～を～に預ける」という意味。
	私の夫は地に足がついており、分別があります。	**My husband is down-to-earth and sensible.**	
	彼女は今まで会った中で一番、裏表がある女性です。	**She is one of the most two-faced woman I've ever met.**	
	私の先生は優しくて思いやりがあります。	**My teacher was gentle and caring.**	careのing形でもあるが、これはcaringという形での形容詞。

[家族] ❹

4

単語	日本語訳	言い換え・関連語
□□□ **supportive** [səpɔ́ːrtiv] 形 ▶ 反 judgemental	協力的な、支えになる	understanding
□□□ **witty** [wíti] 形 ▶ 名 wit	冗談がうまい	funny, entertaining, amusing
□□□ **sensible** [sénsəbl] 形 ▶ 名 sensibility 反 ignorant	賢明な、分別のある	intelligent, logical
□□□ **fascinating** [fǽsənèitiŋ] 形 ▶ 動 fascinate 反 boring	とても魅力的な	appealing, intriguing
□□□ **mature** [mət(j)úər] 形 ▶ 動 mature 反 immature	成熟した、分別のある、大人らしい	sophisticated, mellow
□□□ **conservative** [kənsəːrvətiv] 形 ▶ 動 conserve	保守的な	traditional, conventional
□□□ **judgemental** [ʤəʤméntəl] 形 ▶ 動 judge	批判的だ	critical
□□□ **close** [klóus] 形 ▶ 名 closeness	～と仲が良い	be good friends with someone

例文の日本語訳	例文	備考
パートナーは私のキャリアをいつも支持してくれます。	My partner has always been supportive of my career.	
私の親友はとても聡明で冗談がうまい人です。	My best friend is such an intelligent and witty person.	
私は今もう40代なので、健康によく気を付けなければいけません。	I have to be sensible with my health now that I'm in my 40s.	now that ～＝今や～なので
ニューヨークは活気に満ちた、とても魅力的な街です。	New York is a vibrant, fascinating city.	この例文のように、同じ系統の形容詞をコンマをはさんで2つ並べると、強調する働きがある。活き活きとした感じになるのでIELTSスピーキングでもお勧め。
彼女は年のわりに落ちついています。	She is mature for her age.	
彼女の着る服は保守的です。	She is conservative in the way she dresses.	
母はいつも、とても批判的だったので私は常にストレスを感じていました。	My mother was always so judgemental that I was constantly stressed.	judgeを（いつも）するようなmentalの性格、ということ。
彼は家族ととても仲が良いです。	He is very close to his family.	例文のようにbe close to 人という形で使われることが多い。

[家族] ❺

■◀)) 5

単語	日本語訳	言い換え・関連語
□□□ **compatible** [kəmpǽtəbl] 形 ▶ 名 compatibility	～と相容れる、相性が良い	**consistent**
□□□ **reserved** [rizə:rvd] 形 ▶ 動 reserve	内向的である	**withdrawn, introverted**
□□□ **withdrawn** [wiðdrɔn] 形 ▶ 動 withdraw	内向的である	**reserved, introverted**
□□□ **affectionate** [əfékʃənət] 形 ▶ 反 cold-blooded, unfriendly	愛情深い	**caring, warm-hearted**
□□□ **patient** [péiʃənt] 形 ▶ 名 patience (名)	忍耐強い	**forgiving, tol-erant**
□□□ **honest** [ɑnist] 形 ▶ 名 honesty 反 two-faced	裏がない、正直な	**straightfor-ward, direct, truthful**
□□□ **generous** [dʒénərəs] 形 ▶ 反 selfish,greedy	寛大な、気前の良い	**giving** ※おもに「気前の良い」という意味で使う

	例文の日本語訳	例文	備考
	私たちは趣味や価値観の面で相性が良いです。	**We are compatible with each other in terms of interests and values.**	前置詞はwithを使う。
	エレンは内気で控えめな性格の女の子でした。	**Ellen was a shy, reserved kind of girl.**	動詞のreserveは「予約する」だけではなく「遠慮する」という意味があるので、それが転じてreservedは「遠慮しがちな性格」ということ。
	彼は事故以来、内向的で、疑い深くなってしまいました。	**Since the accident, he has become withdrawn and mistrustful.**	
	彼女のお母さんは生まれつきとても愛情深い人です。	**Her mother was, by nature, a very affectionate person.**	
	子どもと一緒に旅行をするときは忍耐強くないといけません。	**You should be patient when traveling with kids.**	このように-entが形容詞、-enceが名詞というパターンの単語は混同してしまう人が多いので注意。
	彼は、本当のことを言っているのだろうかと、私は疑問に思いました。	**I wondered if he was being honest.**	進行形にすることで、今現在言っていることが裏がない、という表現ができる。
	彼はいつも気前が良く、出かけると食事代を出してくれます。	**He's always generous and offers to pay for meals whenever we go out.**	

［家族　熟語］❶

6

単語	日本語訳	言い換え・関連語
□□□ **immediate family** [imí:diət fǽm(ə)li] 名 可/不 ▶ 反 relative	近親者、身内	**closest family members**
□□□ **maternal instinct** [mətə:rnl ínstiŋkt] 名 不	母性本能	**parental instinct** ※父性・女性関係なく使える
□□□ **peer pressure** [píər préʃər] 名 不 ▶ 反 individualism	同調圧力	**social/ community pressure**
□□□ **stay-at-home parent** [stéiəthoum pé(ə)rənt] 名 可 ▶ 反 working parent	専業主婦・専業主夫（子どもがいる）	**stay-at-home mother / stay-at-home father**
□□□ **parental leave** [pəréntl lí:v] 名 不	産休	**paternal leave/ maternal leave**
□□□ **household chore** [háus(h)òuld ʧɔ:r] 名 可	家事	**housework, household task**
□□□ **the right person** [ðə ráit pə:rsn] 名 可	（その人にとって）ぴったりな人	**the ideal person**
□□□ **only child** [óunli tʃáild] 名 可 ▶ 反 children with siblings	一人っ子	-

	例文の日本語訳	例文	備考
	その小さな結婚式には身内だけが招待されました。	**Only immediate family members were invited to the small wedding.**	
	生まれたばかりの姪を抱いた瞬間、私の母性本能が目覚めました。	**My maternal instinct kicked in the moment I held my newborn niece.**	
	10代の子は同調圧力に大きく影響されます。	**Teenagers are largely influenced by peer pressure.**	
	私の家族は少し普通と違っていました。父が専業主夫で、母が一家の大黒柱だったからです。	**My family was rather unconventional because my father was a stay-at-home parent, and my mother was the family's breadwinner.**	最近では、性差を無くすという意味合いから、housewifeなどではなく、stay-at-home parentという言葉が使われることが多い。
	彼らは妊娠中・出産後に産休を取ることができます。	**They can take parental leave during and after pregnancy.**	最近では、性差を無くすという意味合いから、parental leaveという言葉が使われることが多い。
	私はたいてい週末じゅう、家事をやって過ごします。	**I usually spend all weekend doing household chores.**	この例文のように動詞は"do"が使われる。
	私はまだ自分にぴったりな人に出会っていません。	**I haven't met the right person yet.**	
	一人っ子の彼女は、親しい友人関係を築きながら育ちました。	**As an only child, she grew up forming close friendships.**	「唯一の子ども」という意味ではなく、「兄弟姉妹が居ない」という意味での一人っ子。

[家族　熟語] ❷

7

単語	日本語訳	言い換え・関連語
□□□ **a sense of humor** [ə séns əv hjú:mər] 名 可	ユーモアセンス	**witty** ※形容詞として使う
□□□ **complement to each other** [kάmpləmənt tə í:ʧ ʌðər] 名 可 ▶ 動 complement	互いを補い合う	**go together with each other**
□□□ **family member** [fǽm(ə)li mémbər] 名 可	家族の一員	-
□□□ **working couple** [wə:rkiŋ kʌpl] 名 可	共働きの夫婦	**double-income couple**
□□□ **good listener** [gúd lísnər] 名 可 ▶ 反 bad listener	聞き上手	**compassion-ate, sympa-thetic**
□□□ **hit it off** [hít ít ɔ:f] 動 ▶ 反 be alienated from	～と仲良くなる	**get along**
□□□ **turn to someone** [tə:rn tə] 動	～に頼る	**consult some-one, receive advice from someone**

	例文の日本語訳	例文	備考
	私の高校の先生は面白くて、授業はいつもとても楽しかったです。	**My high school teacher had a good sense of humor, and his class was always full of fun.**	have a good sense of humor = 面白い性格 という意味になる。
	彼らの性格はお互いを完全に補い合っています。	**Their personalities are a perfect complement to each other.**	
	私の家族では、一人一人が1つの家事を担当していました。	**In my family, each family member was in charge of one household task.**	familyという言葉は、1つの家族全体を指す言葉のため、家族を構成する一人一人については、memberという語を付けなければいけない。
	共働きの夫婦として、我々は家事を分担しています。	**As a working couple, we share household chores.**	working coupleは「働く」ことに焦点が置かれ、double-income coupleだと2つの収入源があることに焦点が置かれる。
	彼女を聞き上手だと思ったクラスメートは多かったです。	**A lot of my classmates found her a good listener.**	"listener"とは言ってもプロの職業ではなく単に聞くのがうまいというスキルを指す。"good singer"などもそう。
	私は新しい上司とあまり仲良くなれませんでした。	**I didn't really hit it off with my new boss.**	
	頼りにできる、仲が良い友達がいるのは素敵でしょうね。	**It would be nice to have a close friend to turn to.**	

[家族　熟語] ❸

8

単語	日本語訳	言い換え・関連語
□□□ **be there for someone** [bíː ðéər fɔːr] 動	～の役に立つ、～を助ける	**help/support someone**
□□□ **have ～ in common** [hǽv ín kɑmən] 動 ▶ 反 **different**	～を共有する、～が共通している	**similar to ～** ※「似ている」という意味で形容詞として使う
□□□ **play a role in ～** [pléi ə róul] 動	～において役割を担う、意味を持つ	**contribute to ～**
□□□ **stand out from the crowd** [stǽnd áut frʌm ðə kráud] 動 ▶ 反 **be inferior**	他の人よりずばぬけている	**outshine, be superior to others**
□□□ **fall out with someone** [fɔːl áut wíð] 動 ▶ 反 **get along with someone**	～と仲たがいをする	**become estranged from someone** ※「疎遠になる」という意味。
□□□ **have a squabble** [hǽv ə skwɑbl] 動 ▶ 反 **get along**	～と口論する	**have a quarrel**
□□□ **look on the bright side** [lúk ɑn ðə bráit sáid] 動 ▶ 反 **be negative, be pessimistic**	良い面を見る（ポジティブな状態でいる）	**be positive**

	例文の日本語訳	例文	備考
	夫は私が必要とするときはいつも、助けてくれます。	**My husband** is **always** there for me **when I need help.**	
	彼らに共通しているのは、人気があることだけです。	**The only thing they** have in common **is popularity.**	
	遺伝は、育児においてとても大事な意味を持っているかもしれません。	**Genes may** play a **significant** role in **parenting.**	roleの前に「どのくらい重要か」という意味の形容詞を入れることが多い。
	成功するためには他の人よりずば抜けている必要があります。	**We need to** stand out from the crowd **to be successful.**	
	親友と誤解から仲たがいしてしまいました。	I fell out with my best-friend **over a misunderstanding.**	
	誰が食器洗いをすべきかについて、パートナーとよく口論をします。	**I often** have a squabble **with my partner about who should do the dishes.**	* do the dishes＝食器洗いをする
	良い面を見ることは、いつでも役に立ちます。	**It always helps to** look on the bright **side.**	この例文の場合の"help"は「助ける」というより、「役に立つ」という意味。

[家族　熟語] ❹

9

単語	日本語訳	言い換え・関連語	
□□□ **lead a fulfilling life** [líːd ə fulfíliŋ láif] 動	充実した人生・生活を送る	**live life to the full**	
□□□ **make the most of 〜** [méik ðə mòust əv] 動	〜を最大限に活用する	**get the full benefit from 〜**	
□□□ **open someone's eyes to 〜** [óup(ə)n wʌnz aiz tə] 動	人に〜を悟らせる	**make some-one realize the truth, clarify**	
□□□ **change one's perspective on 〜** [ʧéinʤ wʌnz pərspéktiv ɑn] 動	人の〜に関する考えを変える	**change one's attitude to-wards 〜**	
□□□ **be involved in 〜** [bíː invɑlvd ín] 動 ▶ 反 absent	〜に関わる	**participate in 〜, take part in 〜, engage oneself in 〜**	
□□□ **start a family** [stɑːrt ə fǽm(ə)li] 動	自分の家族を作る（子どもをもうける）	**have one's first baby**	

	例文の日本語訳	例文	備考
	もっと充実した人生を送る方法を知りたかったです。	**I wanted to know how to lead a more fulfilling life.**	
	幸せの鍵は、持っているものを最大限に活用することです。	**The key to happiness is to make the most of what you have.**	
	その手紙を読んで、彼の本心を悟りました。	**The letter opened my eyes to his true feelings.**	「悟る」ではなく「悟らせる」という意味なので、悟る人以外の人やモノが主語になることが多い。
	海外を旅して文化の違いに関する考えが大きく変わりました。	**Traveling abroad significantly changed my perspective on cultural differences.**	
	彼女は大きなプロジェクトにかかわってきました。	**She has been involved in a big project.**	
	彼らは先月結婚し、まもなく子どもを持とうとしています。	**They got married last month and plan to start a family soon.**	

練習問題

Question 1

Could you tell me about your favorite family member?

It's my mom. She is warm-hearted and trustworthy and an excellent listener, so whenever I need some counseling regarding anything in my life, I turn to her.

あなたの好きな家族の一員について教えてください。

それは母です。母は優しくて信頼がおける人で、とても聞き上手です。ですので、人生の何かについて相談したい時にはいつも母を頼りにします。

Question 2

What type of family do you have?

I have an extended family with six members. I enjoy living in a big family because I like every one of them, and they are always there for me whenever I feel troubled or depressed.

＊feel troubled: 悩みをもつ

あなたの家族はどのようなタイプですか？

私は6人の大家族です。私は大家族が良いと思っています。6人すべての人が好きで、私が悩んだり落ち込んだりしたときにはいつも私の力になってくれるからです。

Question 3

How easy is it to raise children in Japan?

Parenting is a significant challenge in Japan, unfortunately. The country is well known for the strength of peer pressure, which means that as a parent, you would always have to worry about what others think. Also, society is still very conservative compared to most developed countries, and people have a hard time balancing their work with family. One of the most considerable problems is that women are too busy because the majority of men are either too occupied with their work or too conservative, believing that women should do all the household chores and raise the children. My female friends raising infants and toddlers always complain about their husbands being unwilling to get involved in parenting.

＊a significant challenge：大いなる挑戦（かなり大変なこと）※「チャレンジ」という日本語を英語にするなら"try"のほうが適切。

＊worry about what others think：他の人がどう思うかを気にする

＊have a hard time -ing：～することが難しく思う

日本での育児の難易度はどれくらいですか？

残念ながら、日本では育児というのはとても大変です。日本は同調圧力でよく知られており、親として、他人がどう思うかということをいつも気にしている、ということがあるからです。また、多くの先進国に比べ、日本社会はまだかなり保守的であり、仕事と家庭のバランスを取るのが難しいです。

一番大きな問題の1つは、女性が忙しくなりすぎたことです。大半の男性が仕事で忙しすぎるか、保守的すぎて家事は女性がやらなければいけないと考えているからです。私の女友達で乳幼児を育てている人たちはいつも、夫が育児に参加したがらないことについて愚痴を言っています。

Question 4

What is the role of the mother in a family?

The mother does play a tremendous role in a family. Mothers are typically seen as the most important role models for children, especially girls. When it comes to housework, the mothers used to shoulder most of it, but this traditional gender role is gradually changing, and many fathers do some household duties in their homes as there are more and more working couples.

家庭における母親の役割というのは何でしょうか？
母親は家庭でとても重要な役割を果たしています。母親はたいてい、子ども、特に女の子に対して大きな影響を与える、一番のお手本となることが期待されます。家事に関していえば、母親がそのほとんどを担っていたものでしたが、共働きの夫婦が増えるにつれて、この伝統的な夫婦の分担は少しずつ変わってきており、多くの父親が家事をするようになっています。

Question 5

What makes a good friend?

Well, first of all, they should never talk about you behind your back, as that's a sign of being two-faced. This trait is a surefire way for me to fall out with someone. Also, having a similar sense of humor helps. My friend Ken, for example, is honest, and I feel that he would keep my secrets and never be judgemental. He tries to look on the bright side of things, and we laugh about the same things. He makes those around him happy, leads a fulfilling life, and is always involved in something.

良い友達の条件は何ですか？

ええと、まず第一に良い友達というのは裏で自分のことを話すべきではありません。つまり裏表がある性格というのは私にとっては、誰かと仲たがいをする一番速い方法といえます。また、似たようなユーモアセンスを持っているのも良いですね。たとえば私の友だちのケンは、正直者で、私の秘密を守ってくれて絶対に批判的ではないと思えます。ケンは物事の明るい面をいつも見ようとしており、私たちは同じことで笑います。彼は周りの人を幸せにし、充実した人生を送っていて、いつも何かに関わっています。

[コミュニケーション]

approach
notice
text
view
one-way
worldwide
face-to-face
instantly
smartphone app
social networking site
method of communication
snail mail

update
connect
convey
communicate
verbalize
cooperate
open up
information-sharing
have a chat
make friends
leave comments

mumble
on time
run late

dress
visualize
moveable
first impression

外見

on the same page
productivity
benefit
decision-making
catch up
crazy about
addictive
loved one
easier said than done

bounce ideas off someone

misunderstanding
misinterpret
justify
blame
persuade
come to a compromise
come together
build up a good rapport
discrimination

cope
serve
limit
confidential
oral
seamless
accessible
meaningful
confident
time-consuming
proactive
personal touch
take charge of
remain connected

外見

[コミュニケーション] ❶

10

単語	日本語訳	言い換え・関連語
□□□ **productivity** [pròudʌktívəti] 名 不 ▶ 動 produce 名 product	生産性	**efficiency**
□□□ **approach** [əpróutʃ] 名 可 ▶ 動 approach	考え方、とらえ方	**way of thinking**
□□□ **view** [vju] 名 可 ▶ 反 fact	意見、見方、考え方	**opinion**
□□□ **discrimination** [diskrìmənéiʃən] 名 不 ▶ 動 discriminate 反 fairness	差別	**bias** ※「偏見」という意味。
□□□ **notice** [nóutəs] 名 不 ▶ 動 notify 名 notification	お知らせ、通知、告知	**announcement** ※「発表」という意味でより広い範囲に対して知らせる場合に使われる。
□□□ **misunderstanding** [mìsʌndərstǽndiŋ] 名 可 ▶ 動 misunderstand	誤解	**misinterpretation**
□□□ **update** [ʌpdèit] 名 可 ▶ 動 update	現況、最新の情報	**news**
□□□ **misinterpret** [mìsintəːprit] 他 動 ▶ 名 misinterpretation 動 understand	誤解する	**misunderstand**

	例文の日本語訳	例文	備考
	私の勤める会社では、生産性の高さによって賃金水準が変わります。	**Wage rates in the company I work for depend on productivity levels.**	
	彼の仕事に対する考え方はしっかりしています。	**He has a thoughtful approach to his work.**	
	私は出来事について楽観的な見方をしています。	**I hold an optimistic view of events.**	
	現代社会には、まだまだ人種差別が存在します。	**Racial discrimination still exists in modern society.**	
	張り紙には『芝生に立ち入らないように』と書いてありました。	**The notice said, 'Keep off the grass'.**	noticeは通常「気づく」という意味の動詞としてよく知られているが、名詞としての使用も頻度が高い。
	二人の喧嘩は、ある誤解から始まりました。	**The quarrel between them rose from a misunderstanding.**	
	インスタグラムの彼女のアカウントでは、最新の情報を紹介しています。	**Her account on Instagram gives updates.**	同じ形で、動詞としても使える。名詞として使う場合は、一緒に使われる動詞はgiveが一般的。
	明確な情報伝達なしでは、チームのメンバーが指示を誤解する危険性があります。	**There's a risk that team members might misinterpret instructions without clear communication.**	

［コミュニケーション］❷

11

単語	日本語訳	言い換え・関連語
□□□ **serve** [səːrv] 自 動 ▶ 名 service	機能する、役割に果たす	play a role in ～ ing
□□□ **limit** [límit] 他 動 ▶ 名 limitation 反 extend	制限する、おさえる	put a limit on
□□□ **text** [tékst] 他 動	ショートメッセージを送る	send (a) text message(s)
□□□ **connect** [kənékt] 自 動 ▶ 名 connection 反 separate	親しくなる、理解し合う	unite, relate
□□□ **convey** [kənvéi] 他 動 ▶ 名 conveyance	伝える	express, tell, communicate
□□□ **communicate** [kəmjúːnikèit] 他 動 ▶ 名 communication 反 conceal, hide	伝える	convey, express, tell
□□□ **verbalize** [vəːrbəlàiz] 他 動 ▶ 名 verbalization	言語化する	utter, express
□□□ **visualize** [víʒuəlàiz] 他 動 ▶ 名 visualization	視覚化する、イメージする	picture, envision

例文の日本語訳	例文	備考
週1のミーティングはチーム内のコミュニケーションを強化する役割を果たします。	**The weekly meetings serve to enhance communication within the team.**	
出費を月10万円までにおさえる必要があったのです。	**I had to limit the expenses to 100,000 yen a month.**	例文のように、toという前置詞を上限の数字の前に置く。
娘はほとんどすべての時間を電話かメールに費やしています。	**My daughter spends nearly all her time either on the phone or texting her friends.**	textは名詞としても使えるが、話し言葉では、このように動詞として使われることも多い。
気がつけば、職場の人たちとすぐに親しくなりました。	**I found that I immediately started connecting with people at work.**	
広告では、「細いことは美しい」というメッセージを伝えています。	**Ads convey the message that thin is beautiful.**	「運搬する」という意味で覚えている人が多いが、この意味でも多く使われるので覚えていると便利。
今、多くの人が自分の言いたいことを伝えられずにいます。	**Many people now fail to communicate what they want to say.**	「コミュニケーションをとる」という意味だけだと思われがちだが、「伝える」という意味で使われることも多い。
息子に対する自分の気持ちを言葉にするのは難しいことだと思いました。	**I found it hard to verbalize my feelings toward my son.**	
どうすればいいのか、なかなかイメージがわきませんでした。	**It was hard to visualize how it could be done.**	

[コミュニケーション] ❸

🔊 12

単語	日本語訳	言い換え・関連語
□□□ **cooperate** [kouɑpərèit] 自 動 ▶ 名 cooperation 形 cooperative	協力する	**collaborate, work together**
□□□ **cope** [kóup] 自 動 ▶ 反 fail	対処する	**deal**
□□□ **benefit** [bénəfit] 他 動 ▶ 名 benefit 形 beneficial	貢献する	**contribute to**
□□□ **dress** [drés] 自 動 ▶ 動 overdress, underdress 形 dressy 反 undress	服を着る	**put on one's clothes, get dressed**
□□□ **mumble** [mʌmbəl] 自 動 ▶ 名 mumbler	ボソボソ言う、つぶやく	**mutter, murmur**
□□□ **justify** [dʒʌstəfài] 他 動 ▶ 名 justification 反 blame	正当化する	**rationalize**
□□□ **blame** [bléim] 他 動 ▶ 名 blame 形 blamable	～のせいにする	**put the blame on**
□□□ **persuade** [pərswéid] 他 動 ▶ 反 dissuade	説得する	**convince**

	例文の日本語訳	例文	備考
	そうやって、子どもたちは協力し合うことを学んでいくのです。	This is how children learn to cooperate.	
	思春期の子どもたちの多くは、人生の課題に対処するのに苦労しています。	Many adolescents struggle to cope with life's challenges.	
	彼の革新的なアイデアは成長と効率性をうながし、会社に貢献しました。	His innovative ideas benefited the company by driving growth and efficiency.	名詞（利点）としてもよく使われるが、動詞としての使い方も覚えておくと便利。
	彼女は面接の前に、プロフェッショナルな服を着るよう細心の注意を払いました。	Before the interview, she took extra care to dress professionally.	基本的には「着る」という動作を表すため、「着ている」という状態を表したい場合は受動態にすると良い。
	彼は謝罪の言葉をつぶやきながら、足早に部屋を出て行きました。	He mumbled an apology as he left the room quickly.	
	彼女は、長い目で見れば節約になることを説明し、出費を正当化しました。	She justified the expense by explaining that it would save money in the long run.	
	こうなってしまったのは、自分のせいです。	I blame myself for what has happened.	
	彼らは、私の言葉を撤回するよう説得してきました。	They tried to persuade me to retract my words.	

13

単語	日本語訳	言い換え・関連語
□□□ **confidential** [kɑnfədénʃəl] 形 ▶ 名 confidentiality 反 public, open	秘密の、非公開の	**secret, private**
□□□ **oral** [ɔrəl] 形 ▶ 反 non-verbal	口頭の	**verbal**
□□□ **seamless** [síːmləs] 形 ▶ 副 seamlessly	スムーズな、円滑な	**smooth** ※使用頻度はそれほど高くない
□□□ **moveable** [múːvəbəl] 形 ▶ 名 moveability	可動式の	**portable, transferable**
□□□ **accessible** [æksésəbəl] 形 ▶ 名 accessibility 副 accessibly	入手しやすい	**available**
□□□ **meaningful** [míːniŋfəl] 形 ▶ 副 meaningfully 反 insignificant	意味深い	**deep, worthwhile**
□□□ **confident** [kɑnfidnt] 形 ▶ 名 confidence 反 insecure	自信に満ちている	**self-assured**
□□□ **time-consuming** [táim kənsjúːmiŋ] 形 ▶ 反 timesaving, efficient	時間がかかる	**laborious, labor-intensive**

	例文の日本語訳	例文	備考
	会議の結果はまだ非公開です。	**The results of the conference are still confidential.**	
	そうすることで、リスニングとスピーキングを同時に向上させることができるのです。	**By doing this, you can improve both listening and oral skills simultaneously.**	
	プロジェクト中は、スムーズなコミュニケーションによって、予期せぬ問題をすぐに解決できました。	**During the project, seamless communication allowed us to quickly resolve unexpected issues.**	
	そのオフィスの間取りは、可動式の壁が特徴となっています。	**The office's layout features moveable walls.**	
	その情報は、インターネットで簡単に入手することができます。	**The information is readily accessible on the Internet.**	
	最近のコミュニケーションは、昔に比べて意味が薄れています。	**Communication these days is less meaningful than it used to be.**	
	彼の自信に満ちたリーダーシップは、部下たちを活気づけました。	**His confident leadership inspired his followers.**	
	ほとんど仕事のように思えるほど、時間がかかり、ストレスのたまる作業です。	**It's a time-consuming, stressful process that seems almost like a job.**	

[コミュニケーション] ❺

14

単語	日本語訳	言い換え・関連語
□□□ **proactive** [prouǽktiv] 形 ▶ 副 proactively　反 sluggish	積極的な	enthusiastic, energetic
□□□ **information-sharing** [ìnfərméiʃən ʃέəriŋ] 形	情報共有の	-
□□□ **decision-making** [disíʒən méikiŋ] 形	意思決定の	-
□□□ **one-way** [wʌn wéi] 形	一方の、一方的な	one-sided
□□□ **worldwide** [wəːrldwáid] 形 ▶ 反 local, domestic	世界的に	global, international
□□□ **face-to-face** [féis túː féis] 形 ▶ 反 indirectly	直接に	in-person
□□□ **instantly** [ínstəntli] 副 ▶ 形 instant	瞬時に	immediately, promptly
□□□ **addictive** [ədíktiv] 形 ▶ 名 addict、addiction	中毒性がある、中毒になっている	addicting

	例文の日本語訳	例文	備考
	積極的な指導方法に感動しました。	I was very impressed with the proactive teaching methods.	
	情報共有システムにより、企業の透明性を高めることができます。	Information-sharing systems can increase transparency in companies.	
	お礼状はフォローアップの役割を果たし、この行動は面接官の意思決定プロセスに影響を与えます。	A thank you letter serves as a follow-up, and this gesture impacts an interviewer's decision-making process.	「gesture」には「行動」という意味もある。
	オンラインコースでの一方的なやり取りに苦労しました。	I struggled with the one-way communication in the online course.	
	彼女の類まれなる才能は、世界的にも高く評価されました。	Her unusual talent gained her worldwide recognition.	
	メールは便利ですが、言葉に表れない意思を理解するためには、直接会って話をすることが不可欠です。	Despite the convenience of emails, face-to-face meetings are essential for understanding non-verbal cues.	
	地球の裏側にいる人と瞬時にコミュニケーションが取れるようになりました。	We can now communicate instantly with people on the other side of the world.	
	賭け事は、酒やタバコと同じように中毒性があります。	Gambling can be as addictive as drinking or smoking.	

[コミュニケーション　熟語] ❶

15

単語	日本語訳	言い換え・関連語
□□□ **smartphone app(application)** [smɑːtfòun æp(æplikéiʃən)] 名 可	スマホのアプリ	-
□□□ **social networking site** [sóuʃəl nétwəːkiŋ sáit] 名 可	ソーシャル・ネットワーキング・サイト、SNS	**social media**
□□□ **loved one** [lʌvd wʌn] 名 可	愛する人、大切な人	-
□□□ **snail mail** [snéil meil] 名 不 ▶ **email, text message**	郵便での手紙	**postal mail**
□□□ **first impression** [fəːrst impréʃən] 名 可	第一印象	**first sight**
□□□ **method of communication** [méθəd əv kəmjùːnikéiʃən] 名 可	コミュニケーションの手段	**way of communication / means of communication / communication method**
□□□ **personal touch** [pəːrsənəl tʌtʃ] 名 可 ▶ **generalized approach**	個性	**personalized approach**
□□□ **catch up** [kætʃ ʌp] 動	遅れを取り戻す、追いつく	-

例文の日本語訳	例文	備考
スマホのアプリで料理を注文して、あっという間に配達してもらえます。	We can order food and have it delivered in a matter of minutes with a smartphone app.	略するときは「アプリ」ではなく"app"と表記する。可算名詞。
全世界で5億人以上のユーザーを持つFacebookは、最も人気のあるSNSとなっています。	With over 500 million users worldwide, Facebook has become the most popular social networking site.	「SNS」と英語で言うことはほぼ無い。
大切な人の死から立ち直るには、何年もかかることがあります。	It can take many years to recover from the death of a loved one.	
最後に郵便で手紙をもらったのはいつだったか思い出せません。	I can't remember the last time I got a letter via snail mail.	emailと対比させる意味で使われることが多い。
面接では、第一印象を良くすることが重要です。	Making a good first impression is essential at a job interview.	
昔はコミュニケーションの手段が限られていました。	The methods of communication were limited in the past.	
彼女は、個性を加えるため、ファンレターには自分で返事をするのが好きです。	She prefers to answer any fan mail herself for a more personal touch.	
彼は海外旅行の後に、見ていなかったニュースをチェックするのが好きです。	He loves to catch up on the news after a trip abroad.	日本語に直訳はしづらい言葉だが、口語ではかなり頻繁に使われる。

[コミュニケーション　熟語] ❷

16

単語	日本語訳	言い換え・関連語
□□□ **come to a compromise** [kʌm túː ə kɑmprəmàiz] 動	妥協する	arrive at a compromise
□□□ **build up a good rapport** [bíld ʌp ə gúd ræpɔr] 動	良い関係を築く	-
□□□ **have a chat** [həv ə tʃǽt] 動	話をする	have a talk, talk a little, chat
□□□ **take charge of** [téik tʃɑːdʒ əv] 動	管理する、責任者になる	be in charge of
□□□ **make friends** [méik fréndz] 動	友達になる	hit it off
□□□ **remain connected** [riméin kənéktəd] 動	つながりを保つ	stay connected
□□□ **crazy about** [kréizi əbáut] 動 ▶ 反 uninterested	夢中になる	in love with, keen on
□□□ **bounce ideas off someone** [báuns ɔf] 動	アイデアを共有して新たな視点や改善点を得る	run ideas by someone

	例文の日本語訳	例文	備考
	彼らはプロジェクトの予算について妥協しました。	**They came to a compromise on the project's budget.**	
	これまでの教師人生で、生徒と良い関係を築いてこられたと思いたいですね。	**I hope I've built up a good rapport with my students during my teaching career.**	rapportの発音に注意。最後のtは発音しない。
	給料が上がるかもしれないということで、上司と話をしました。	**I had a chat with my boss about a possible salary increase.**	
	自分のストーリーを共有し、より多くの女性が自分の健康を管理する手助けをしたいのです。	**I want to share my story and help more women take charge of their health.**	
	私の娘は、他の子どもと友達になるのが難しいと思っています。	**My daughter finds it hard to make friends with other children.**	
	彼らは、子どもたちが地域社会とのつながりを保てるようにします。	**They will ensure that the children remain connected to their community.**	
	彼は4歳の時に初めてサッカーの試合を見に行き、それ以来、夢中になっていたそうです。	**He went to his first football game when he was four, and from then on, he was crazy about it.**	
	お互いにアイデアを出し合い、素晴らしい解決策を考え出しました。	**We bounced ideas off each other and came up with a great solution.**	

[コミュニケーション　熟語] ❸

17

単語	日本語訳	言い換え・関連語	
□□□ **leave (a) comment(s)** [líːv kament] 動	コメントをする	**reply**	
□□□ **run late** [rʌn léit] 動	遅刻する、遅れる（今この瞬間、予定の時刻に遅れそうな状態）	**be late**	
□□□ **come together** [kʌm təgéðər] 動 ▶ 反 separate	集まる	**assemble, gather, get together**	
□□□ **open up** [óupən ʌp] 動	（秘密や悩みなどを）打ち明ける	**share** ※「共有する」という意味	
□□□ **easier said than done** 形	口で言うほど簡単ではない	-	
□□□ **on time** [ɑn táim] 副 ▶ 反 delayed, late, behind schedule	時間内に、時間どおりに	**punctually, on schedule**	
□□□ **on the same page** [ɑn ðə séim péidʒ] 前	認識が一致している	**in agreement** ※「意見が一致している」という意味。	

	例文の日本語訳	例文	備考
	YouTubeユーザーであれば、コメントすることができます。	**If you are a YouTube user, you can leave comments.**	
	予期せぬ渋滞に巻き込まれ、ミーティングに遅れてしまいました。	**I was running late for the meeting because I got stuck in unexpected traffic.**	原形としては「run」であるものの、ほぼ必ず進行形で使う。
	このチャリティ・イベントには、さまざまな部署の従業員がボランティアとして集まりました。	**Employees from different departments came together to volunteer for the charity event.**	
	先週末のドライブ旅行で、彼は自分の抱える困難について打ち明けました。	**He opened up about his challenges during our road trip last weekend.**	
	それを達成するのは、口で言うほど簡単ではありませんでした。	**Achieving it was easier said than done.**	
	コンサートに時間通りに到着し、素晴らしい席を見つけました。	**I arrived on time for the concert and found great seats.**	
	ミーティングを終えて、私たちはプロジェクトのゴールについてようやく同じ認識になりました。	**After our meeting, we're finally on the same page about the project goals.**	

練習問題

Question 1

Do you sometimes prefer to send a text message instead of calling?

Yes, I prefer sending text messages or using smartphone apps for straightforward plans like scheduling meetings or notifying someone if I'm running late. Phone calls aren't really needed for those tasks. However, text messages can sometimes be misunderstood and it can lead to confusion. Phone calls are better suited for sharing personal or confidential information and conveying feelings and emotions.

電話ではなく、テキストメッセージを送りたいときがありますか？

はい。待ち合わせの時間や遅刻の連絡など、簡単な段取りであれば、SMSやスマホアプリでメッセージを送りたいですね。電話はそのような状況では必要ありません。一方で、テキストメッセージは時に誤解を招くこともあります。個人情報や機密情報を伝えたり、気持ちや感情を伝えたりするには、電話の方が適しています。

Question 2

Do you like to study or work alone or with others?

I prefer working alone because it allows me to maintain my productivity without relying on others. I appreciate the sense of responsibility that comes with knowing that my actions are solely my own. I don't have to justify my decisions or persuade colleagues of my viewpoints since I'm not bouncing ideas off anyone. Constantly considering others' views can be time-consuming and sometimes leads to misunderstandings or misinterpretations.

＊a pain:苦痛なもの

勉強や仕事は、一人でするのとみんなでするのとどちらが好きですか？

一人で仕事をするのが好きです。人に頼る必要がなく自分の生産性を維持できます。何をするにしても自分の責任であるというのは良いです。自分のアイデアを誰かに聞いてもらうこともないので、自分の決断を正当化したり、同僚に自分の考えが正しいと説得したりする必要もありません。他人の意見を常に考慮しなければならないのは時間がかかりますし、誤解が起きたりします。

Question 3

What benefits do social media offer?

Social networking sites offer numerous benefits. Firstly, they facilitate instant connection and communication among people worldwide, a capability that was unimaginable just a few decades ago. They also serve as a medium for accessing unlimited information within seconds. Personally, I find myself quite addicted to Instagram, and I use this addictive platform to stay connected with distant family, friends, and relatives at no cost. Through Instagram, I can effortlessly share recent updates and news with them by uploading photos. Moreover, it enables me to stay updated on various trends, including fashion, life hacks, cuisine, and sports, enhancing my overall awareness and engagement with the world around me.

＊numerous:たくさん

＊life hack:ライフハック（生活の中で役立つ知恵）

ソーシャルメディアにはどのようなメリットがあるのでしょうか？

SNSにはたくさんのメリットがあります。そもそも、数十年前に発明される前には想像もできませんでしたが、人々が瞬時につながり、コミュニケーションをとることができます。数秒で無限の知識や情報をユーザーに提供してくれるメディアとして機能します。私は、世界中に何十億人ものユーザーを持つ最も人気のあるソーシャルメディアのひとつであるInstagramにかなりはまっていると言えるでしょう。私はこの中毒性のあるサイトを使って、遠く離れて暮らす家族や友人、親戚と無料でつながっています。Instagramを通じて私は簡単に写真をアップロードして、自分の近況を共有しています。また、このサイトのおかげで、ファッション、ライフハック、食べ物、スポーツなどの最新情報を得ることができます。

Question 4

Why do you think the internet is being used more and more for communication?

Different people prefer the Internet for different reasons, but I like it simply because it's convenient. The old ways of communication via snail mail, telephone, and traveling were expensive and time-consuming. Suppose you are at work and have something you need to tell others about. In that case, you just write a group email or post an online notice, along with rich media such as video, image, and multimedia presentation. It's far easier and quicker than calling each person or arranging a meeting, which means workers can improve efficiency and productivity. Even governments are communicating through social media rather than in more traditional ways. All Presidents and Prime Ministers now have regular posts on Twitter and Instagram. At the same time, citizens can engage more actively by replying, leaving comments, and reacting to posts, marking an unprecedented and

revolutionary way of communication.

＊unprecedented and revolutionary:前例のない、画期的な

なぜインターネットがコミュニケーションのためにどんどん使われるようになっていると思いますか？

インターネットを好む理由は人それぞれですが、私が好きなのは単純に便利だからです。郵送、電話、移動などの昔のコミュニケーション方法は、費用も時間もかかりました。仕事中に他の人に知らせたいことがあれば、グループメールを書いたり、オンラインでお知らせをビデオや画像、マルチメディアプレゼンテーションなどのリッチメディアも一緒に投稿したりするだけです。一人ひとりに電話をかけたり、会議を開いたりするよりもはるかに簡単でスピーディーなので、仕事の効率や生産性を向上させることができます。政府も、従来の方法ではなく、SNSを使ってコミュニケーションをとっています。現在、すべての大統領と首相は、TwitterとInstagramに定期的に投稿しています。それと同時に、国民が返信したり、コメントを残したり、それらの投稿にリアクションを返したり、より積極的に行動できるようになっており、まったく前例のない画期的なコミュニケーション方法となっています。

Question 5

What aspects are essential for success at job interviews?

Making a good first impression without a doubt. Candidates can do several things to improve the first impression they make, including being on time, dressing appropriately, speaking up firmly but quietly instead of mumbling, using standard professional terms and language, and looking confident and prepared to answer any kind of questions.

＊without a doubt:間違いなく

面接で成功するためには、どのような点が必要でしょうか?

間違いなく第一印象を良くすることです。第一印象を良くするために、候補者はいくつかのことをすることができます。例えば、時間を守ること、適切な服装をすること、しっかりとした口調で話すこと、しかもつぶやくのではなく柔らかい声で話すこと、標準的な専門用語や言葉を使うこと、自信を持ってどんな質問にも答えられるようにすること、などです。

[テクノロジー]

laptop
gadget
device
appliance
touchscreen
platform
obsolete
labor-saving
user-friendly
hard copy
back up

Internet of Things (IoT)
online shopping
search engine
go online
invention
high-tech
built-in
one-stop location
go digital

テクノロジーの効能

breakthrough
automation
hack
emerge
upgrade
update
reboot
modify
browse
crash
introduce
uplift
accelerate
interconnect
navigate
malfunction
patent
game-changing
intuitive
innovative
streamline

up-to-date
mind-blowing
state-of-the-art
indispensable
unimaginable
virtual relationship
online scam
glued to the screen
go viral
rocket science

IT リテラシー

redundancy
visual aid
screen time

technophobe
glitch
flaw
overload
literacy
tech-savvy
remote
computer buff

outdated

[テクノロジー] ❶

18

単語	日本語訳	言い換え・関連語	
□□□ **breakthrough** [bréikθrùː] 名 可 ▶ 反 antique	大きな進歩/躍進、ブレイクスルー	innovation, big improvement	
□□□ **automation** [ɔtəméiʃən] 名 不	自動操作、自動化	computeriza-tion	
□□□ **technophobe** [téknoufòub] 名 可 ▶ 反 computer geek	新技術を避けたり嫌ったりする人	-	
□□□ **glitch** [glítʃ] 名 可	欠陥、故障	flaw, malfunction	
□□□ **flaw** [flɔ] 名 可 ▶ 形 flawless	欠陥、故障	glitch, malfunction	
□□□ **overload** [óuvərlòud] 名 可/不	過剰負担		
□□□ **gadget** [gǽdʒit] 名 可	機械類、ガジェット	device, tool	
□□□ **appliance** [əpláiəns] 名 可	家電、電気器具	tool, instrument	

	例文の日本語訳	例文	備考
	決定的なブレイクスルーは、ほぼ偶然に起こりました。	The crucial breakthrough came almost by accident.	
	生産工程の自動化によって、失業者が増加しました。	The automation of production processes has led to increased unemployment.	
	私の祖父は少しテクノロジー嫌いで、カーナビよりも紙の地図を好みます。	My grandfather is a bit of a technophobe and prefers paper maps to GPS.	日本語の「カーナビ」は「car navigation」とは言わず、「GPS」と言うのが普通。
	携帯電話に不具合があって朝からずっと再起動していました。	My phone had a glitch and kept rebooting all morning.	
	素材にキズがあったので返品しました。	I returned the material because it had a flaw in it.	
	Eメールやメッセージ、通知などが絶え間なく飛び交い、テクノロジー過多を感じている人は多いです。	Many people have a sense of technology overload with the constant barrage of emails, messages, and notifications.	一般的な意味では不可算、具体的な意味では可算。
	移動中は常に最新のガジェットを持ち歩き、いつでも接続できるようにしています。	I always carry the latest gadgets to stay connected while traveling.	たいていは携帯電話などの小物類を指す。
	彼は、家庭用電化製品のメンテナンスに関連した仕事に就きたいと思っています。	He hopes to find a job related to domestic appliance maintenance.	

［テクノロジー］❷

19

単語	日本語訳	言い換え・関連語	
□□□ **touchscreen** [tʌtʃskríːn] 名 可	タッチパネル	-	
□□□ **platform** [plǽtfɔrm] 名 可	プラットフォーム（情報配信やビジネスを行うための基盤となるソフトウェア）	-	
□□□ **invention** [invénʃən] 名 可 ▶ 名 inventor	発明	**innovation, creation**	
□□□ **redundancy** [ridʌndənsi] 名 不 ▶ 形 redundant	余剰、人員過剰、余剰人員削減	**surplus**	
□□□ **literacy** [lítərəsi] 名 不 ▶ 形 literate	活用する能力、リテラシー	**knowledge**	
□□□ **laptop** [lǽptɑp] 名 可	ノートパソコン	-	
□□□ **device** [diváis] 名 可	装置、機器	**gadget, tool, machine**	
□□□ **hack** [hǽk] 他 動 ▶ 名 hacker	不法に侵入し改変・盗用などを行う、ハッキングする	-	

	例文の日本語訳	例文	備考
	新しい図書検索システムは、タッチパネルの画面を使用しています。	**The new library catalog system uses a touchscreen interface.**	日本語の「タッチパネル」の意味として「touch panel」はあまり使われない。
	Instagramは、最も強力なEコマース用プラットフォームの1つになっています。	**Instagram has become one of the most powerful e-commerce platforms.**	
	食器洗い乾燥機は画期的な発明です。	**The dishwasher is a game-changing invention.**	
	企業の損失は、ほとんどが余剰人員削減のための費用で生じていました。	**Most of the companies' losses stemmed from redundancy costs.**	
	コンピューターリテラシーを高めることは、今日の市場で仕事の可能性を広げるために不可欠です。	**Enhancing computer literacy is essential for improving job prospects in today's market.**	literacyだけ単独で使うと「読み書きする能力」という意味。テクノロジーの文脈ではcomputer literacyなど、何かを前に付けて使うことが多い。
	私のノートパソコンにはマイクが内蔵されています。	**My laptop has a built-in microphone.**	「ノートパソコン」は和製英語なので注意。
	その装置の発明者が特許を取得しました。	**The inventor of the device patented it.**	
	もし誰かがあなたのパスワードを知れば、あなたのアカウントをハッキングすることができてしまいます。	**If someone can figure out your password, they can hack your accounts.**	

[テクノロジー] ❸

20

単語	日本語訳	言い換え・関連語
□□□ **emerge** [imə:rdʒ] 自動 ▶ 名 emergence 形 emergent	現れる、(発明などが)生まれる	appear, come out
□□□ **upgrade** [ʌpgréid] 他動 ▶ 形 upgradable 反 downgrade	品質を良くする、アップグレードする	enhance, improve
□□□ **update** [ʌpdéit] 他動	更新する	refresh, revise
□□□ **reboot** [ri:bú:t] 他自動	再起動する	restart
□□□ **modify** [mɑdəfài] 他動 ▶ 名 modification	修正する、改正を加える	change, alter, adjust
□□□ **browse** [bráuz] 他自/動 ▶ 名 browser	閲覧する、(ネットで)検索する	look through
□□□ **crash** [kræʃ] 自動 ▶ 反 recover	壊れる	collapse, break
□□□ **introduce** [intrədú:s] 他動 ▶ 名 introduction 反 finish, end, cease	導入する、取り込む	inaugurate, start
□□□ **uplift** [ʌplíft] 他動 ▶ 形 uplifting 反 discourage	意気を高める、テンションを上げる	encourage, boost

例文の日本語訳	例文	備考
インターネットは1970年代に米国で誕生しました。	**The Internet emerged in the United States in the 1970s.**	
不具合に対応するためにソフトウェアをアップグレードしました。	**We've upgraded our software to address malfunctions.**	「address」は「住所」という名詞としてよく知られているが、「対処する」という動詞としてもよく使われる。
そのブログは頻繁に更新されるため、何度も訪れたくなります。	**Because the blog is updated frequently, it is tempting to keep going back to it.**	upgradeとupdateは類語とも捉えられるが、違いをおさえておくことが大事。
プログラムが壊れた場合、通常はコンピューターを再起動する必要があります。	**If a program crashes, you usually have to reboot the computer.**	
開発者は、ハッキングから保護するためにシステムを修正しました。	**Developers modified the system to protect it from hacking attempts.**	
個性的なアイデアを得るには、ネットで検索するのが一番です。	**A great way to get some unique ideas is to browse online.**	ネット閲覧ソフトのことを日本語でも「ブラウザ」と呼ぶので、関連づけて覚えると良い。
ノートパソコンが何度も壊れる理由がわかりませんでした。	**I didn't know why my laptop kept crashing.**	
私の会社は効率を高めるための機能を組み込んだ最先端技術を導入しました。	**The company that I work for introduced cutting-edge technology with built-in features to streamline efficiency.**	「紹介する」の意味でよく知られている語だが、この意味で使われることも多い。
そこでの彼女のスピーチは聴衆を元気づけました。	**Her speech there uplifted the audience.**	

［テクノロジー］❹

🔊 21

単語	日本語訳	言い換え・関連語	
□□□ **accelerate** [əksélərèit] 他 動 ▶ 反 slow down 名 acceleration	加速させる	speed up, hurry, hasten	
□□□ **interconnect** [ìntəkənékt] 自 動 ▶ 名 interconnection	相互に接続する	interlink	
□□□ **navigate** [nǽvigèit] 自 動 ▶ 名 navigation	道案内をする	guide	
□□□ **malfunction** [mælfʌ́ŋkʃən] 自 動 ▶ 名 malfunction	故障する、誤作動する	go wrong	
□□□ **patent** [pǽtənt] 他 動 ▶ 名 patent	特許をとる	-	
□□□ **streamline** [stríːmlàin] 他 動	効率化する	simplify	
□□□ **game-changing** [géim tʃéindʒiŋ] 形 ▶ 名 game changer	画期的な、人生を変えるような	life-changing, eye-opening	
□□□ **mind-blowing** [máind blóuiŋ] 形 ▶ 反 ordinary	強烈な、ショッキングな	thrilling, astonishing	

	例文の日本語訳	例文	備考
	インターネットのスピードが速くなると、映画や音楽のダウンロードがとても速くなります。	**Faster internet speeds greatly accelerate the downloading of movies and music.**	
	スマートホームデバイスが相互に接続し、スムーズな生活環境を実現してくれます。	**Smart home devices interconnect to create a seamless living environment.**	
	私がナビをして、彼は車を運転した。	**He drove the car while I navigated.**	
	コンピューターが故障して、間違ったデータをプリントアウトしてしまいました。	**The computer malfunctioned and printed out the wrong data.**	
	この大学は最近、プラスチックごみをリサイクルする新しい方法の特許を取得しました。	**The university recently patented a new method for recycling plastic waste.**	
	日々の業務を効率化するために新しいツールを導入しました。	**We've adopted new tools to streamline our daily operations.**	
	この画期的な家電のおかげで、私の生活はずっと楽になりました。	**This game-changing appliance has made my life much easier.**	
	この驚異的なハイテク機器は、私の日々の仕事を助けてくれています。	**This mind-blowing high-tech gadget assists me with my day-to-day tasks.**	

[テクノロジー] ❺

22

単語	日本語訳	言い換え・関連語
□□□ **state-of-the-art** [steit əv ðə ɑrt] 形 ▶ 反 outdated, traditional, old-fashioned, obsolete	最新の	cutting-edge, innovative
□□□ **up-to-date** [ʌp túː déit] 形 ▶ 反 outdated, traditional, old-fashioned, obsolete	最新の、更新された状態の	current, latest
□□□ **high-tech** [hái ték] 形 ▶ 反 outdated, traditional, old-fashioned, obsolete	ハイテクな	advanced
□□□ **obsolete** [ɑbsəlíːt] 形 ▶ 反 leading-edge, cutting-edge, innovative, advanced, state-of-the-art	時代遅れの	outdated, old-fashioned, traditional
□□□ **labor-saving** [léibər séiviŋ] 形	労力節約の、省力化の	-
□□□ **intuitive** [intúːətiv] 形	直感的な、直感的に理解できる	-
□□□ **user-friendly** [júːzər fréndli] 形 ▶ 反 inconvenient	(ユーザーにとって)使いやすい	easy-to-use, straightforward
□□□ **tech-savvy** [ték sǽvi] 形 ▶ 反 computer dummy	機械に強い	computer geek ※名詞として使う。

例文の日本語訳	例文	備考
新しい職場には最新鋭の設備が整っています。	**My new workplace has state-of-the-art equipment.**	
携帯電話のOSを常に最新に保つことで、不具合を避けることが出来ています。	**Keeping my phone's operating system up-to-date has helped me avoid glitches.**	技術的に「最新」という意味だけではなく、最新の状態に更新（アップデート）されていることも指す。
警察はハイテクなレーダー付きドローンを使ってスピード違反者を捕まえています。	**The police use high-tech radar drones to catch speeders.**	
技術の変化に伴い、多くの伝統的な技術は時代遅れになっています。	**With technological changes, many traditional skills have become obsolete.**	
省力のための家電製品に頼るようになりました。	**We've come to depend on labor-saving appliances.**	
メールアプリの新しいデザインはとても直感的でわかりやすいです。	**The email app's new design is very intuitive.**	
最新版では、感動的なほど使いやすい操作画面を実現しています。	**The latest version has an impressively user-friendly interface.**	
妹は驚くほど機械に強く、いつも家族のパソコンに関する問題を解決してくれます。	**My younger sister is incredibly tech-savvy and always fixes computer issues for the family.**	

23

単語	日本語訳	言い換え・関連語
□□□ **remote** [rimóut] 形 ▶ 副 remotely 反 close, nearby	離れた、遠隔地の	**distant**
□□□ **unimaginable** [ʌnimǽdʒinəbəl] 形 ▶ 反 imaginable	想像できない	**implausible**
□□□ **indispensable** [ìndispénsəbl] 形 ▶ 副 indispensably 反 unnecessary	欠かせない	**imperative**
□□□ **built-in** [bílt in] 形	内蔵された	**innate**
□□□ **innovative** [ínəvèitiv] 形 ▶ 反 outdated, traditional, old-fashioned, obsolete	画期的な	**cutting-edge, state-of-the-art, advanced**
□□□ **outdated** [àutdéitəd] 形 ▶ 反 leading-edge, cutting-edge, innovative, advanced, state-of-the-art, up-to-date	時代遅れの、更新されていない	**obsolete, old-fashioned, traditional**

	例文の日本語訳	例文	備考
	オンラインコースは、教育関係者が遠隔地の生徒を教えるのに役立っています。	**Online courses have helped educators to teach students in remote areas.**	
	電気のない生活は、現代では考えられません。	**Life without electricity is unimaginable in today's world.**	
	今やほとんどの企業でコンピューターは欠かせないツールとなっています。	**A computer is now an indispensable piece of equipment for most businesses.**	
	多くのUSB機器には、ケーブルが内蔵されています。	**Many USB devices come with a built-in cable.**	
	この都市では、画期的な交通規制の仕組みが導入されています。	**The city has introduced an innovative system of traffic control.**	
	会社では、何百万円もかけて古くなったコンピューターのハードウェアを買い換えました。	**The company has spent millions of yen replacing outdated computer hardware.**	技術的に古い、という意味もあるが、「更新されていない」という意味にもなる。

[テクノロジー　熟語] ❶

24

単語	日本語訳	言い換え・関連語	
□□□ **rocket science** [rɑkit sáiəns] 名 不	すごく難しいこと	-	
□□□ **Internet of Things (IoT)** [íntərnèt əv θ íŋz] 名 可	IoT（モノのインターネット）家電などのモノがインターネットに接続して通信すること	-	
□□□ **online scam** [ɑnláin skǽm] 名 可	オンライン詐欺、インターネット詐欺	-	
□□□ **virtual relationship** [vəːrtʃuəl riléiʃənʃip] 名 可 ▶ 反 off-line dating	ネット上の付き合い（主には恋愛を指す）	computer dating	
□□□ **computer buff** [kəmpjútər bʌf] 名 可 ▶ 反 computer dummy	コンピューター・マニア	computer expert/freak/geek	
□□□ **hard copy** [hɑrd kɑpi] 名 可 ▶ 反 electronic version	ハードコピー（デジタル上のものではなく紙などに印刷されたもの）	printout, paper copy	
□□□ **visual aid** [víʒuəl éid] 名 可	視覚的な資料	-	

	例文の日本語訳	例文	備考
	ウェブサイトのデザインは大変な作業かもしれませんが、すごく難しいことではありません。	**Designing a website may be a lot of work, but it's not rocket science.**	直訳では「ロケット科学」だが難しいことや専門知識を必要とすること全般を指す比喩表現。否定形で使われることが多い。
	IoTは私たちの日常生活を良くしてくれました。	**The Internet of Things has enhanced our daily lives.**	IとTは大文字で、複数形で表記する。
	オンライン詐欺は進化を続け、その種類も多岐にわたります。	**Online scams continue to evolve and increase in variety.**	
	ネット上の付き合いでは、お互いにオープンであることが不可欠です。	**It is vital to be open with each other in a virtual relationship.**	
	彼女は素晴らしいコンピューター・マニアです。	**She is a fabulous computer buff.**	
	すべてがデジタル化されたとはいえ、私はバックアップ用に重要書類のハードコピーを持っていたいと思っています。	**Even though everything's digital, I still like having a hard copy of important documents as a backup.**	
	図表や動画などの視覚的な資料を入れることで、プレゼンテーションのよいアクセントになり、皆の興味を引くことができます。	**Throwing in some visual aids, like charts or videos, can really spice up a presentation and keep everyone interested.**	

［テクノロジー　熟語］❷

25

単語	日本語訳	言い換え・関連語
□□□ **one-stop location** [wʌn stɑp loukéiʃən] 名 可	1か所で用が足りるサービス、場所	**complete solution**
□□□ **screen time** [skríːn táim] 名 不	画面を見ている時間（スマホ、テレビ、動画、ゲームを含む）	-
□□□ **search engine** [səːrtʃ éndʒən] 名 可	サーチエンジン、検索エンジン	**browser**
□□□ **online shopping** [ɑnláin ʃɔpiŋ] 名 不	ネット通販	-
□□□ **back up** [bǽk ʌp] 動	バックアップする（予備を作っておく）	**have a backup file(s)**
□□□ **go online** [góu ɑnláin] 動 ▶ 反 **go offline**	オンラインで行う、ネットを使う	**be online**
□□□ **go digital** [góu dídʒitəl] 動	デジタル化する	**digitalize**
□□□ **go viral** [góu váirəl] 動	バズる、頻繁に共有される、話題になる	**become a trending topic**
□□□ **glued to the screen** [glud túː ðə skríːn] 形	画面に釘付けになっている	-

	例文の日本語訳	例文	備考
	そのアプリは、日々の様々なタスクにこれ1つで対応できるよう作られています。	**The app is designed to serve as a one-stop location for various daily tasks.**	
	画面に向かっている時間を減らせば、もっと行動的になれます。	**Cutting down on screen time can really help you get more active.**	
	この検索エンジンサービスは、同社の主な収益源となっています。	**This search engine service has become the primary source of revenue for the company.**	
	その3週間後、私はネット通販サイトを開設しました。	**Three weeks later, I opened an online shopping site.**	日本語の「ネット通販」のように「internet shopping」はあまり使わない。
	コンピューターが故障したときのために、ファイルをバックアップする方法を知っておくことは重要です。	**It's essential to know how to back up your files in case your computer crashes.**	
	感染症が大流行したとき、授業はオンラインで行われました。	**Classes went online during the pandemic.**	
	多くの企業が業務の効率性を図るためにデジタル化を選択しています。	**Many businesses are choosing to go digital to streamline operations.**	
	彼女のおかしなダンス動画はすぐにSNSでバズりました。	**Her funny dance video quickly went viral on social media.**	
	子どもたちは何時間も画面に釘付けになることがあります。	**Children can spend hours with their eyes glued to the screen.**	

練習問題

Question 1

What technology or equipment is used in most workplaces nowadays?

I would say that computers are probably an essential piece of equipment because we have grown to depend heavily on them for various tasks. In typical office settings, you'll find PCs, laptops, phones, printers, and photocopiers, all of which contain computer systems. In factories, computers play a crucial role in automating processes.

＊grow to: 〜するようになる

現在、職場で多く使われている技術や機器は何ですか？
私たちはあらゆることをコンピューターに頼るようになったため、コンピューターはおそらく不可欠な機器だと思います。典型的なオフィスでは、PC、ノートPC、電話、プリンター、コピー機を使っていますが、これらすべてにコンピューターシステムが搭載されています。工場では、製造工程の自動化にコンピューターが欠かせない存在になっています。

Question 2

What technological equipment or device do you use most in your daily life?

My iPhone is by far the most used piece of technology in my daily life. It's not just a phone; I use it for texting, chatting on social network services, taking and sharing photos, calculating, creating documents, storing data, navigating with maps, and even playing games. It's amazing how such a simple device with just a touchscreen can be so versatile. I can't imagine my life without it.

＊social network service: SNS

あなたが日常生活で最もよく使うハイテク機器やデバイスは何ですか？

iPhoneが日常で一番よく使うハイテク機器ですね。iPhoneは電話だけでなく、メールやSNSでのチャット、写真撮影、写真共有、計算、文書作成、データの保存、ナビ機能、そしてゲームさえ出来てしまいます。タッチパネル付きのシンプルなワンボタンの携帯電話で、これだけのことができるのはすごいことです。iPhoneがなかったら、私の生活は想像もつきません。

Question 3

How often and how long do you use the Internet per day?

I am online for about 2 hours a day. I spend about an hour updating my status on blogs and social network sites. For the other hour, I surf the Internet for fun. I browse my favorite blogs, send messages, call my friends, and watch free video clips that people post on YouTube.

1日あたりのインターネット利用頻度と利用時間を教えてください。

1日に2時間くらいはネットをしています。1時間くらいはブログやSNSで近況報告。残りの1時間は、ネットサーフィンを楽しんでいます。好きなブログを見たり、メッセージを送ったり、友達に電話をしたり、YouTubeにアップされている無料動画を見たりしています。

Question 4

What do you think is the most important invention that has positively influenced humans?

It is really tough to pick one particular scientific invention, but I would say the light bulb. This single scientific invention has raised the human race towards prosperity and the modern world. Some may argue

that a fuel-powered lighting system could have been an alternative, but the reality is that it would have been too expensive and could not have been an easy source for lighting houses. Developments in science are interconnected, and one idea inspires or accelerates another. The light bulb is one such invention that inspired other inventions and research.

＊particular:特定の。この場合はoneを強調する働きがある（一つだけ特別に）。

＊single:一つの。この場合はthisを強調する働きがある（たった一つの）。

人類にプラスの影響を与えた最も重要な発明は何だと思いますか？

科学の発明をひとつ挙げるのは難しいのですが、私は電球を挙げます。このたった一つの科学の発明が、人類を繁栄と近代化に向けて高揚させたのです。燃料で動く照明器具があれば、それに代わるものができたかもしれないという意見もあるでしょうが、現実にはあまりにも高価で、簡単に家を照らす源にはなり得なかったでしょうね。科学の革新は相互に関連しており、あるアイデアが別のアイデアを触発したり、加速したりするものです。電球もその一つで、他の発明や研究にインスピレーションを与えました。

Question 5

Does technology help workers, or does it make their lives more difficult?

While technology undoubtedly offers numerous benefits, it can complicate life, especially when it malfunctions. It causes a lot of stress when the Internet is down or a computer crashes. Technologies play a crucial role in our lives, and sadly, we are sometimes absorbed by them. I clearly remember a particularly stressful incident at work when an unexpected power outage occurred during an important video conference with international clients.

テクノロジーは労働者の助けになるのでしょうか、それとも労働者の生活をより困難にしているのでしょうか？

テクノロジーは間違いなく多くの利点をもたらしますが、特に不具合が生じた場合、そのせいで、生活が複雑になることがあります。インターネットがダウンしたり、コンピューターがクラッシュしたりすると、多くのストレスが生じます。テクノロジーは私たちの生活において重要な役割を果たしていますが、悲しいことに、私たちは時としてテクノロジーに飲み込まれてしまいます。仕事で特にストレスを感じたのは、海外のクライアントとの重要なビデオ会議中に予期せぬ停電が起きたことで、今でも鮮明に覚えています。

Question 6

How has technology affected children recently?

Kids these days are incredibly tech-savvy. They can easily navigate gadgets with touchscreens and intuitively browse through various platforms. However, sometimes their love for technology can lead to overload, where they spend too much time on their gadgets. I recall a weekend when my nephew became so engrossed in his video game console that he spent nearly the entire day glued to the screen. As a result, he missed out on opportunities for physical activity and social interaction with family members.

最近の子どもたちに、テクノロジーはどのような影響を与えているのでしょうか？

最近の子どもたちは驚くほどテクノロジーに詳しいです。タッチスクリーンを備えたガジェットを簡単に操作し、さまざまなプラットフォームを直感的に拾い読みすることができます。しかし、テクノロジーに対する愛情が、時としてガジェットを長時間使いすぎる過負荷につながることもあります。ある週末、甥っ子がゲーム機に夢中になり、ほぼ一日中画面に釘付けになっていたことを覚えています。結果、体を動かす機会も家族との交流の機会も失ってしまいました。

[休日]

旅行

holiday of a lifetime
round trip
long-distance flight
get away from it all
get around
travel light
out of season
ahead of time
hostel
passenger
excursion
itinerary
broaden someone's horizon

fortnight
globetrotter
overrated
secluded
hectic
once-in-a-lifetime
unforgettable

renowned
all-inclusive
half-board
spontaneously
book
embark
pack

休日
祝日

long weekend
spare time
get together
wander
put one's feet up
soak up
statutory holiday
busman's holiday
staycation

rejuvenate
unwind
on cloud nine
reunite
savor
mingle
hustle and bustle
relieve stress

祭り

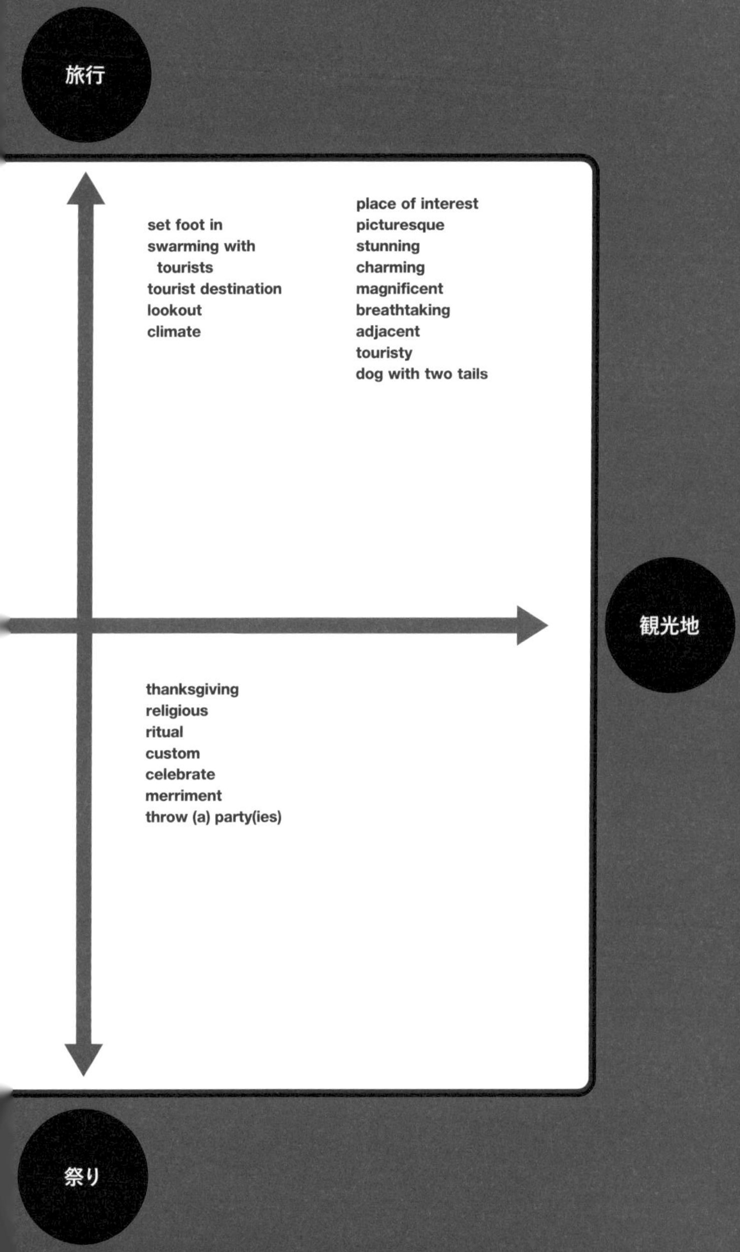

旅行

set foot in
swarming with tourists
tourist destination
lookout
climate

place of interest
picturesque
stunning
charming
magnificent
breathtaking
adjacent
touristy
dog with two tails

観光地

thanksgiving
religious
ritual
custom
celebrate
merriment
throw (a) party(ies)

祭り

[休日] ❶

26

単語	日本語訳	言い換え・関連語	
□□□ **lookout** [lúkàut] 名 可	眺望、見晴らし	**viewpoint, observatory**	
□□□ **excursion** [ikskəːrʒən] 名 可	日帰り観光、現地ツアー	**day trip, outing**	
□□□ **itinerary** [aitínərèri] 名 可	旅行日程、旅行案内書	**travel plan, agenda**	
□□□ **climate** [kláimət] 名 可 ▶ 形 **climatic**	気候	**weather**	
□□□ **fortnight** [fɔrtnàit] 名 可	2週間	**two weeks**	
□□□ **globetrotter** [glóubtrɑtər] 名 可 ▶ 動 **globetrot**	世界中を飛びまわっている人	**world traveler**	
□□□ **staycation** [stèikéiʃən] 名 可	ステイケーション(休暇中でも旅行などは行かずに家や地元で過ごすこと)	-	
□□□ **merriment** [mérimənt] 名 不 ▶ 形 **merry**	陽気な騒ぎ	**revelry**	
□□□ **thanksgiving** [θæŋksgíviŋ] 名 不	感謝祭	-	

	例文の日本語訳	例文	備考
	山道には展望台がいくつもあり、景色を楽しむことができました。	**The mountain road had several lookouts where you could enjoy the view.**	
	ガイドさんの案内で、廃墟の街を散策しました。	**The guide took us on an excursion to the ruined city.**	旅行先で実施される小旅行、日本語ではオプショナルツアーと呼ばれるものをexcursionと表現することができる。
	ツアーガイドが交通手段を手配し、私の旅程を計画してくれました。	**The tour operator arranged transport and planned my itinerary.**	スペル・発音に注意。
	ハワイを選んだのは、暖かい気候と美しいビーチのためです。	**We chose Hawaii for its warm climate and beautiful beaches.**	
	バハマでの2週間で、彼女は若返ったような気がしました。	**She felt rejuvenated by her fortnight in the Bahamas.**	通常、単数形で使われる。おもに英国で使われる表現。
	以前は世界中を飛び回っていたのですが、パンデミックの影響で今はしていません。	**I used to be quite a globetrotter, but not now, because of the pandemic.**	
	その年は予算が厳しかったので、ステイケーションで地元の公園や動物園を訪れました。	**We were on a tight budget that year, so we took a staycation and visited local parks and zoos.**	
	台所から賑やかな声が聞こえてきました。	**Sounds of merriment came from the kitchen.**	
	アメリカとカナダでは、感謝祭の日に七面鳥を食べるのが伝統的な習慣です。	**It's traditional in the US and Canada to eat turkey on Thanksgiving Day.**	米国(11月の第4木曜日)やカナダ(10月の第2月曜日)に開催される、収穫に感謝する日。

[休日] ❷

27

単語	日本語訳	言い換え・関連語
□□□ **ritual** [rítʃuəl] 名 可/不	慣例、儀式	**custom, ceremony**
□□□ **hostel** [hɑstl] 名 可 ▶ 反 luxury hotel, high-end hotel	ホステル	**youth hostel, student hostel, guest house, budget hotel**
□□□ **passenger** [pǽsəndʒər] 名 可	乗客	**rider, traveler**
□□□ **custom** [kʌstəm] 名 可/不	慣習	**ritual, ceremo-ny**
□□□ **book** [búk] 他 動	予約する	**reserve**
□□□ **embark** [embɑ:k] 自 動 ▶ 名 embarkation 反 disembark	乗り込む、出かける	**board**
□□□ **wander** [wɑndər] 自 動	歩きまわる、ぶらつく	**stroll**
□□□ **pack** [pæk] 他/自 動 ▶ 名 packing 動 unpack	詰める（他）荷造りする（自）	-
□□□ **reunite** [rì:ju:náit] 自 動 ▶ 名 reunion 反 separate	再会する	**get together**

例文の日本語訳	例文	備考
イタリアの文化はすべて、食べるという儀式を中心に回っています。	**The whole Italian culture revolves around the ritual of eating.**	一般的な意味では不可算、具体的な意味では可算。
昼過ぎには天気も回復し、歩いてホステルまで戻りました。	**The weather cleared in the late afternoon, and we returned to the hostel.**	ユースホステルに代表される、主に若者向けの安い宿泊施設。2人以上で一部屋をシェアすることもある。
手荷物は1人30kgのものを2個までと決められていました。	**Each passenger was allowed two 30-kg pieces of luggage.**	
お見合い結婚の慣習は、今でも多くの国で残っています。	**The custom of arranged marriages still exists in many countries.**	一般的な意味では不可算、具体的な意味では可算。
彼はすぐにNY行きの飛行機を予約しました。	**He immediately booked a flight to NY.**	
来年の夏には、新しい文化を求めてヨーロッパ旅行に出る予定です。	**We'll embark on a European tour next summer to explore new cultures.**	大きな仕事などを始めるときに、比喩的に使われることも多い。
旧市街の趣のある通りをぶらぶら歩くのがとても楽しかったです。	**We loved to wander through the quaint streets of the old town.**	
彼は、いくつかのものをバッグに詰めました。	**He packed a few things into a bag.**	
彼は、旧友と再会するために、また ここに戻ってくることを考えています。	**He is planning to come back here to reunite with his old friends.**	

[休日] ❸

28

単語	日本語訳	言い換え・関連語
□□□ **celebrate** [séləbrèit] 他 動 ▶ 名 celebration	祝う	**commemorate**
□□□ **rejuvenate** [ridʒúːvənèit] 他 動 ▶ 名 rejuvenation 反 age	元気を回復させる	**restore, revive, revitalize**
□□□ **unwind** [ʌnwáind] 自 動	くつろぐ、リラックスする	**slow down**
□□□ **savor** [séivər] 他/自 動	(食事や経験などを)味わう、堪能する	**enjoy**
□□□ **mingle** [míŋgl] 他/自 動	交流する	**participate actively (in a social group)**
□□□ **picturesque** [piktʃərésk] 形 ▶ 反 hideous, ugly	絵のような	**charming, beautiful**
□□□ **stunning** [stʌniŋ] 形 ▶ 副 stunningly 反 dreadful, ugly	非常に魅力的な、非情に美しい	**gorgeous, breathtaking**
□□□ **charming** [tʃarmiŋ] 形 ▶ 副 charmingly 反 unattractive	感じのよい、素敵な	**beautiful, attractive**

例文の日本語訳	例文	備考
日本では、新年を祝うには家族の集まりがあるのが一般的です。	**In Japan, celebrating New Year typically involves a family gathering.**	
田舎で週末を過ごせば、気持ちが若返ります。	**Spending a weekend in the countryside can rejuvenate you.**	動詞の意味としては回復「させる」という意味なので、自分が回復「する」と言いたいときは、例文のようにoneselfなどを置く必要がある。
長い1週間の仕事の後は、夕暮れ時にビーチを散歩してくつろぐのが好きです。	**After a long week at work, I like to unwind by taking long walks along the beach at sunset.**	
山頂に着いて日の出を見たとき、その瞬間を堪能しました。	**I savored the moment when I reached the summit and saw the sunrise.**	
主催者として忙しく、パーティー中に交流することができませんでした。	**I was too busy as the host to mingle during the party.**	
その建物は、灰色で、まったく絵になりませんでした。	**The building was grey and not at all picturesque.**	語幹の「picture」（絵）から連想すると良い。
山頂からの眺めは本当に素晴らしかったです。	**The view from the mountaintop was absolutely stunning.**	語幹である「stun」は「驚かせる」という意味なので、形容詞になっているstunningは「驚かせるようなもの」が転じて「非常に魅力的だ」という意味になっている。
彼らは古く素敵な家に住んでいます。	**They live in a charming old house.**	

［休日］❹

■◀)) 29

単語	日本語訳	言い換え・関連語
□□□ **magnificent** [mægnífəsənt] 形 ▶ 副 magnificently	壮大な、雄大な	**splendid, grand**
□□□ **breathtaking** [bréθ tèikiŋ] 形 ▶ 副 breathtakingly 反 boring, ordinary	目を見張るような、すばらしい	**astonishing, overwhelming**
□□□ **overrated** [òuvəréitəd] 形 ▶ 動 overrate 反 underrated, undervalued	過大評価されている	**overestimated**
□□□ **secluded** [siklú:did] 形 ▶ 動 seclude 反 public, crowded	人里離れた、辺鄙な	**isolated**
□□□ **hectic** [héktik] 形 ▶ 副 hectically	忙しい、騒がしい	**busy**
□□□ **once-in-a-lifetime** [wʌns in ə láiftàim] 形	一生に一度の	**special, distinctive**
□□□ **adjacent** [ədʒéisənt] 形 ▶ 副 adjacently 反 distant, faraway, remote	となり合った	**near, close, adjoining**

例文の日本語訳	例文	備考
古城は夕日に映えて壮大な眺めでした。	**The ancient castle looked magnificent against the sunset.**	
タワーからは、息をのむような東京の大パノラマが広がります。	**The tower offers a breathtaking panorama of Tokyo.**	「breath」(息)を「take」(取る)ような、という発想から来ている語。
私たちはその街を訪れることをとても楽しみにしていたのですが、なんだか過大評価されているような気がしてしまいました。	**We had been looking forward to visiting the city but we felt it to be somewhat overrated.**	
美しい村なのですが、私には少し辺鄙すぎます。	**It's a beautiful village, but it's a little too secluded for me.**	
いい博物館なんですけど、この時期は慌ただしいですね。	**It's a great museum, but it's too hectic this time of year.**	
パリへの旅は、一生に一度の経験でした。	**The trip to Paris was a once-in-a-lifetime experience.**	
我々は隣の部屋に泊まりました。	**We stayed in adjacent rooms.**	

■◀)) 30

単語	日本語訳	言い換え・関連語
□□□ **unforgettable** [ʌnfərgétəbl] 形 ▶ 副 unforgettably 反 forgettable, insignificant	記憶に残る	**memorable**
□□□ **touristy** [túəristi] 形 ▶ 反 untouristy	観光地化された	**popular with tourists**
□□□ **renowned** [rináund] 形 ▶ 反 unknown	有名な	**well-known, famous**
□□□ **all-inclusive** [ɔl inklúːsiv] 形	すべて込みの	**comprehen-sive**
□□□ **half-board** [hǽf bɔrd] 形 ▶ 反 full-board	2食付きの	-
□□□ **religious** [rilídʒəs] 形 ▶ 副 religiously	宗教の	-
□□□ **spontaneously** [spɑntéiniəsli] 副 ▶ 形 spontaneous 反 deliberately	一時の思い付きで	**impulsively**

	例文の日本語訳	例文	備考
	本当に忘れられない体験でした。	**It was a truly unforgettable experience.**	
	京都は観光地化されていて、夏場は混雑しています。	**Kyoto is touristy and overcrowded during summer.**	
	この地域は、傑出した自然の美しさで知られています。	**The region is renowned for its outstanding natural beauty.**	有名な理由を後につける場合は、famous等と同じように前置詞forを使う。
	すべてのサービスが含まれているホテルが、こんなに快適だとは思いませんでした。	**I never realized that hotels with all-inclusive service are so comfortable.**	海外のリゾート地などで、ホテルなどがすべて込みのプランを用意していることが多い。
	リゾートの２食付きパッケージを予約しました。	**We booked a half-board package at the resort.**	
	クリスマスは宗教的なお祭りですが、クリスチャンではない多くの日本人も祝っています。	**Although Christmas is a religious festival, it's also celebrated by many non-Christian Japanese people.**	
	思いつきでジュネーブ行きの列車に乗り込むことにしました。	**We decided spontaneously to embark on a train for Geneva.**	

［休日　熟語］❶

31

単語	日本語訳	言い換え・関連語	
□□□ **place of interest** [pléis əv íntərəst] 名 可	観光地、観光名所	tourist attraction, tourist spot	
□□□ **spare time** [spɛ́ər táim] 名 不	空き時間	time off, free time	
□□□ **round trip** [raund trip] 名 可	往復（旅行）	return trip	
□□□ **long-distance flight** [lɑːŋ dístəns fláit] 名 可 ▶ 反 short-distance flight	長距離フライト	long-haul flight, long flight	
□□□ **statutory holiday** [stǽtʃutɔri hɑlədèi] 名 可	祝日	public holiday	
□□□ **busman's holiday** [bʌsmənz hɑlədèi] 名 可	仕事をする休暇（日常の仕事と似たことをして過ごす休日という意味）	-	
□□□ **holiday of a lifetime** [hɑlədèi əv ə láiftàim] 名 可	一生に一度の休日・旅行	-	
□□□ **long weekend** [lɑːŋ wíːkènd] 名 可	三日以上の長い連休	-	
□□□ **dog with two tails** [dɔg wíð túː teilz] 名 可	とても喜んでいる様子	-	

例文の日本語訳	例文	備考
この国には、魅力的な都市や観光地がたくさんあります。	**This country has many charming cities and places of interest.**	
私は多忙な生活を送っているので、空き時間は貴重なのです。	**I lead a hectic life, so my spare time is precious.**	
彼は1日で往復しました。	**He made the round trip in a day.**	米国英語ではround, 英国英語ではreturnが使われることが多い。
長距離フライトは体内時計を大きく狂わせます。	**Long-distance flights can seriously disrupt your biological clock.**	
1月2日、3日は日本では祝日ではありませんが、多くの人が休みをとります。	**January 2nd and 3rd are not statutory holidays in Japan, but many take the days off.**	stat holidayと略して表現されることもある。
彼はシェフですが、休暇を利用してイタリアで料理教室に通いました。	**He's a chef, and on his busman's holiday, he took a cooking class in Italy.**	例文のように日本語訳には直接出せないことが多い。
昨年、私の家族はイタリアで一生に一度の大旅行をしました。	**Last year, my family had the holiday of a lifetime in Italy.**	本当に文字通り「一生に一度」というより「とても素晴らしい」というのを大げさにした表現として使われることも多い。
連休で休養をとることができました。	**The long weekend gave me time to rest.**	通常は、土日プラス月曜日が祝日になっている週末を指す。
彼女がチームに入ることができたら、とても喜ぶでしょう。	**She will be like a dog with two tails if she gets into the team.**	

［休日　熟語］❷

32

単語	日本語訳	言い換え・関連語
□□□ **hustle and bustle** [hʌsl ən(d) bʌsəl] 名 不	喧騒、あわただしさ	-
□□□ **tourist destination** [túərist dèstənéiʃən] 名 可	観光地	-
□□□ **relieve stress** [rilíːv strés] 動	ストレスを解消する	alleviate stress
□□□ **get away from it all** [get əwéi frəm ít ɔl] 動	すべてから逃れる（ゆっくりする）	-
□□□ **get around** [get əráund] 動	うろうろする	get about
□□□ **travel light** [trǽvl lait] 動	少ない荷物で旅行する	-
□□□ **broaden someone's horizons** [brɔdən həráizn] 動	視野を広げる	-
□□□ **set foot in** [sét fút in] 動	訪れる、足を踏み入れる	visit
□□□ **get together** [get təgéðər] 動	集まる	gather, assemble

	例文の日本語訳	例文	備考
	彼女は都会の喧騒から逃れるために田舎に引っ越しました。	**She moved to the countryside to escape the hustle and bustle of the city.**	
	東京はアジアで最も人気のある観光地の1つであり続けました。	**Tokyo remained one of the most popular tourist destinations in Asia.**	
	運動はストレス解消に効果的です。	**Exercise can be a great way to relieve stress.**	
	すべてから逃れるために、スコットランドに行くことにしました。	**We've decided to go to Scotland to get away from it all.**	「it」は普段の生活やストレス全般を指した抽象的な語。
	アムステルダムでは、自転車専用道路が整備されているため、自転車での移動が簡単です。	**In Amsterdam, it's easy to get around by bicycle due to the extensive bike paths.**	get aroundという連語自体には非常にたくさんの意味があるため、文脈に合わせて意味を考える必要がある。
	私は常に身軽な旅を心がけています。	**I always try to travel light.**	
	さまざまな国を旅することで、視野を大きく広げることができます。	**Traveling to different countries can really broaden your horizons.**	horizonsはこの意味では複数形で使う。
	私はこの街に足を踏み入れないことにしました。	**I've decided never to set foot in this town.**	visitよりも少し大げさなニュアンスを与える語。
	彼らは休憩時間になると、友人たちと集まっていました。	**They got together with their friends at break time.**	

［休日　熟語］❸

🔊 33

単語	日本語訳	言い換え・関連語	
□□□ **put one's feet up** [pút fíːt ʌp] 動	リラックスする	chill out, relax	
□□□ **soak up** [sóuk ʌp] 動 ▶ 反 emit	取り入れる、浸る	absorb	
□□□ **throw (a) party(ies)** [θróu (ə) pɑrti(z)] 動	飲み会（パーティ）を開く	-	
□□□ **swarming with tourists** [swɔrmiŋ wíð túərist] 形 ▶ 反 empty, deserted	観光客でごった返す	full of tourists	
□□□ **on cloud nine** [ɑn klaud náin] 形 ▶ 反 low in spirits	とてもうれしい	very happy, over the moon	
□□□ **out of season** [áut əv sízən] 副 ▶ 反 in high season	シーズンオフに	in low season, during off-peak time	
□□□ **ahead of time** [əhéd əv táim] 副 ▶ 反 behind schedule	前もって、あらかじめ	early, in advance, beforehand	

例文の日本語訳	例文	備考
ハードな仕事の後、家に戻ってリラックスしたくなりました。	After a hard day at work, I just wanted to come home and **put my feet up.**	
私はただバザールを散策し、その雰囲気に浸っていました。	I just strolled around the bazaar and **soaked up** the atmosphere.	
息子の8歳の誕生日に、夫と二人で盛大なパーティーを開きました。	My husband and I **threw a** big **party** for our son's 8th birthday.	
館内は観光客でごった返していました。	The museum was **swarming with tourists.**	
彼女は、自分が書いた記事が雑誌に掲載されて以来、すっかり舞い上がっています。	She has been **on cloud nine** since the magazine printed her story.	
私たちはシーズンオフにこのビーチリゾートを訪れ、静かな雰囲気を楽しみました。	We visited the beach resort **out of season** and enjoyed the quiet atmosphere.	
東京行きの飛行機を前もって予約しておいたのです。	I booked my flight to Tokyo **ahead of time.**	こういった「時間」に関する表現は思い付きにくいが、非常によく使うので、類語と反語すべておさえておくと便利。

練習問題

Question 1

Do you enjoy traveling?

Yes, I do. In fact, I'm quite a globetrotter, and I've been to thirty different countries other than Japan. I consider traveling an opportunity to broaden my horizons. Also, it's an excellent opportunity to relieve stress and get away from it all.

あなたは旅行が好きですか？
はい、好きです。実は、日本以外の30カ国を旅したことがあるほど、世界中を旅しているんです。旅は自分の視野を広げる機会だと考えています。また、ストレスを解消し、日常から離れる良い機会でもあります。

Question 2

Is your country popular with tourists?

Yes, it is. It's a renowned tourist destination with loads of places of interest. Every year, my country, especially Kyoto, attracts tourists from all corners of the globe, regardless of the distance they have to travel.

あなたの国は観光客に人気がありますか？

はい。名所がたくさんあり、有名な観光地です。毎年、私の国、特に京都には、移動距離に関係なく、世界中から観光客が集まってきます。

Question 3

What festivals are popular in your hometown?

One of the famous festivals in my hometown is a summer fireworks festival held in August. People wear traditional Japanese summer clothes called yukata to this festival, which gives it a unique atmosphere. There are about 20,000 fireworks in various shapes and colors in a single night, which is breathtaking.

あなたの地元ではどんなお祭りが人気ですか？
私の故郷で有名なお祭りのひとつに、8月に行われる夏の花火大会があります。このお祭りでは、人々は浴衣という日本の伝統的な夏服で参加するので、独特の雰囲気があります。一晩で約2万発の色とりどりの花火が打ち上げられ、その迫力は息をのむほどです。

Question 4

Do you think it is important to preserve traditional customs?

It's very important. Many rituals and festivals are things that our parents and grandparents have handed down and that have lasted for generations. While affordable airplane tickets are now available and setting foot in other countries can certainly broaden our horizons, local customs express the identity of the community we live in.

＊hand down: (後世に) 伝える

伝統的な習慣を守ることは大切だと思いますか？

とても大切なことです。多くの儀式や祭りは、両親や祖父母から受け継がれ、何世代にもわたって続いてきたものです。手頃な価格の航空券が手に入るようになり、海外に足を踏み入れることは確かに視野を広げることになるかもしれませんが、地域の習慣は、私たちが暮らす地域に属するアイデンティティを意味するものですからね。

Question 5

What is the concept of a holiday in Japan?

For the Japanese, the New Year holidays and the summer Obon holidays are special. They are not statutory holidays, except for January 1, but during those two holiday seasons, people usually take some days off work to visit their parents and relatives, and it is the custom to throw parties and have fun. It's also one of the high seasons for sightseeing trips. Obon and the New Year are somewhat parallel to Christmas and Thanksgiving in North America.

＊parallel to:相似する

日本における休日の概念とは何でしょうか？

日本人にとって、正月休みと夏のお盆休みは特別なものです。1月1日を除いては祝日として定められているわけではありませんが、この間は仕事を休み、両親や親戚を訪ねたり、飲み会を開いて楽しんだりすることが習慣となっています。また、観光旅行のハイシーズンの一つでもあります。北米のクリスマスやサンクスギビングと多少似ていますね。

Question 6

Why do you think holidays are important in modern life?

In modern society, people often underestimate the importance of relaxation; instead, they strive to work as much as possible to accumulate wealth. Holidays should be treasured as they provide an opportunity to get away from it all. Oftentimes, people use this time to spend quality moments with family or reunite with friends. In Japan, many people used to go on trips during holidays, but nowadays, they also enjoy staycations to rejuvenate themselves.

***treasure**：大切にする。この場合、動詞として使われている。

なぜ、現代社会では休日が重要なのでしょうか？

現代社会では、人々はリラックスすることの重要性を見落とし、できるだけ多くのお金を稼ぐために働こうとしています。休日は家族と良い時間を過ごしたり、友人と再会したりする機会なので、大切にされるべきものです。日本では休日に旅行に出かける人が多かったのですが、最近ではリフレッシュのためにステイケーションを楽しむ人もいます。

[文化]

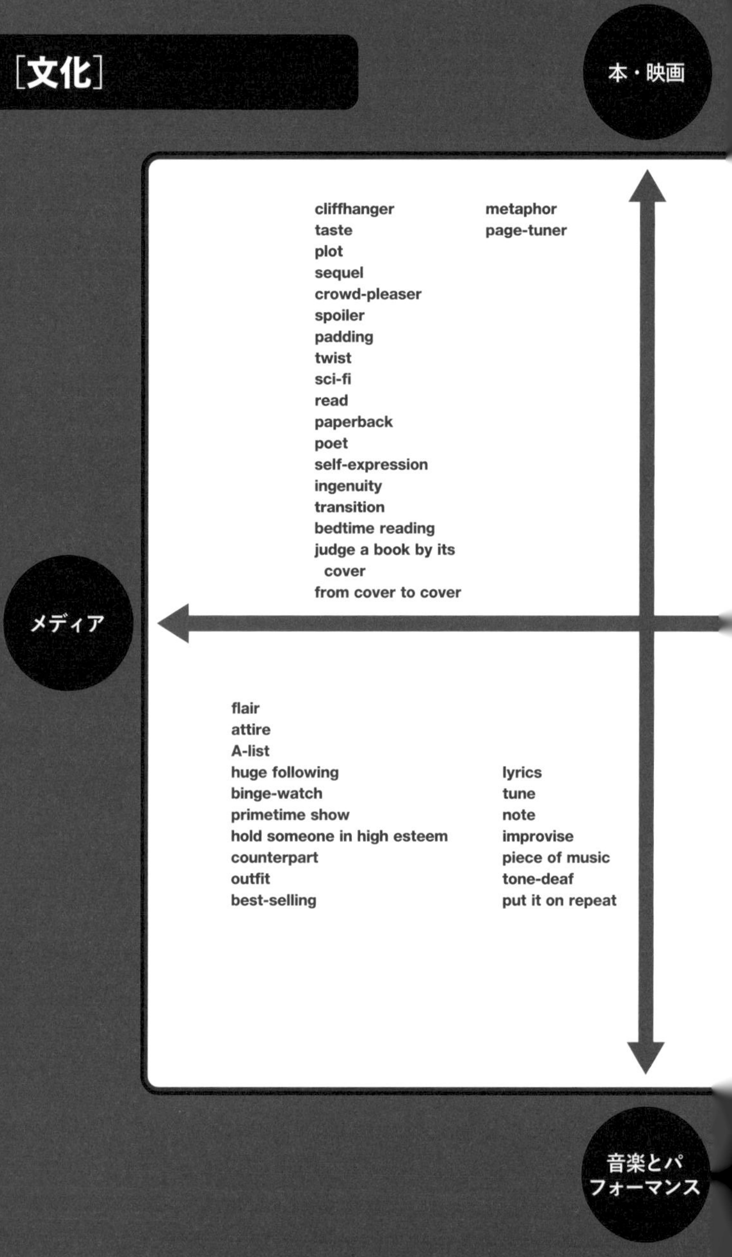

本・映画

cliffhanger
taste
plot
sequel
crowd-pleaser
spoiler
padding
twist
sci-fi
read
paperback
poet
self-expression
ingenuity
transition
bedtime reading
judge a book by its cover
from cover to cover
metaphor
page-tuner

メディア

flair
attire
A-list
huge following
binge-watch
primetime show
hold someone in high esteem
counterpart
outfit
best-selling

音楽とパフォーマンス

lyrics
tune
note
improvise
piece of music
tone-deaf
put it on repeat

本・映画

parallel
equivalent
stereotype
niche
background
assimilation
relate
ethic
cultural diversity
melting pot
critical thinking
genre

passively
suitable
elaborate
factual
actively
insightful
nostalgic
soothing
catchy
upbeat
erratic
riveting
spectacular
superb

delve
opt
peruse

文化と社会

thought-provoking
recharge one's batteries
lift someone up
touch one's heart
sing along to
live up to
all-time favorite

amuse
criticize
integral
quintessential
mainstream

音楽とパフォーマンス

［文化］❶

34

単語	日本語訳	言い換え・関連語
□□□ **parallel** [pǽrəlèl] 名 可 ▶ 反 difference	相似（似ていること）	equivalent, counterpart
□□□ **counterpart** [káuntərpɑrt] 名 可 ▶ 反 difference	対となるもの、相当するもの	parallel, equivalent
□□□ **equivalent** [ikwívələnt] 名 可 ▶ 反 difference	相当するもの	parallel, counterpart
□□□ **stereotype** [stériətàip] 名 可 ▶ 動 stereotype 形 stereotypical	固定観念	generalization
□□□ **niche** [niːʃ / nitʃ] 名 可	隙間市場、ニッチ	-
□□□ **background** [bǽkgràund] 名 可	生い立ち、経歴	-
□□□ **assimilation** [əsìməléiʃən] 名 不 ▶ 動 assimilate 反 reject	同一化	adaptation
□□□ **ethic** [éθik] 名 可 ▶ 形 ethical	倫理、倫理的価値観	morality, principle

	例文の日本語訳	例文	備考
	この伝統は、他の文化に似たものはありません。	**This tradition has no parallel in other cultures.**	
	電子書籍と文庫本は対の関係にあり、それぞれ違った読書体験を得られます。	**E-books and paperback books are counterparts, offering different reading experiences.**	
	スマートフォンは、私たちの考えやスケジュールを保存する、現代の日記帳に相当するものとなっています。	**The smartphone has become the modern equivalent of a personal diary, storing our thoughts and schedules.**	
	10代の若者はみんな反抗的だ、というのはよくある固定観念です。	**The idea that all teenagers are rebellious is a common stereotype.**	
	手作りのノートは、個性的な文房具を好む人々の間でニッチな存在となっています。	**Handcrafted notebooks have found a niche among those who appreciate personalized stationery.**	発音に注意。
	ストリート・アーティストとしての経歴が大きく影響して、活気に満ちた型破りな彼の作品が生まれています。	**His background as a street artist heavily influences his vibrant, unconventional pieces.**	
	世界各国の料理が同一化しているため、寿司は多くの国で日常食となりました。	**Through the assimilation of global cuisines, sushi has become a daily food in many countries.**	
	日本人は勤勉で、仕事に対する考え方が厳しいと言われています。	**Japanese people have a reputation for being hard workers with a strict work ethic.**	

［文化］❷

35

単語	日本語訳	言い換え・関連語
□□□ **genre** [ʒɑnrə] 名 可	ジャンル	type, category
□□□ **lyrics** [líriks] 名 可	歌詞	-
□□□ **tune** [tú:n] 名 可	旋律	melody
□□□ **note** [nóut] 名 可	音、音符	-
□□□ **taste** [téist] 名 不	好み、趣味嗜好	preference
□□□ **flair** [flέər] 名 不	センスの良さ、鋭い嗅覚	good taste
□□□ **A-list** [éi list] 名 可	一流の人たち	-
□□□ **plot** [plɑt] 名 可	筋書き、構想	scenario
□□□ **cliffhanger** [klífhæŋər] 名 可	（気になる終わり方をする）連続小説やドラマ	-
□□□ **metaphor** [métəfɔr] 名 不	例え、比喩	figurative expression

例文の日本語訳	例文	備考
恋愛ジャンルの映画は、安っぽいものが多いですよね。	**Movies in the romantic genre are often cheesy.**	スペル、発音に注意。
ポップソングの歌詞は、若い恋の日常の喜びや葛藤を映し出すことが多いです。	**Pop song lyrics often mirror the everyday joys and struggles of young love.**	「歌詞」という意味で使う場合は、一般的に複数形。
私には聞き覚えのない旋律でした。	**I didn't recognize the tune.**	
彼女は深みのある声を持っていて、高い音を出そうともしません。	**She has a deep voice and doesn't even try for the high notes.**	
彼女のファッションの趣味は素晴らしいです。	**She has excellent taste in fashion.**	
彼女はファッションのセンスがあり、上品な服をデザインします。	**She has a flair for fashion and designs elegant outfits.**	
有名な俳優さんに憧れているので、一流スターの出演する映画を観るのが好きなんです。	**I admire famous actors and like to watch movies with A-list celebrities.**	
この映画の筋書きはくぎ付けになります。	**The movie's plot is riveting.**	
最終回は次の展開が気になる終わり方だったので、視聴者たちはこの後どうなるのかと気になって仕方がありませんでした。	**The season finale ended with a cliffhanger that made viewers desperate to see what would happen next.**	
先生は橋の比喩を使って、エッセイで意見を繋げる方法を説明しました。	**The teacher used the metaphor of a bridge to explain how to connect ideas in an essay.**	

［文化］❸

36

単語	日本語訳	言い換え・関連語
□□□ **sequel** [síːkwəl] 名 可	続編	-
□□□ **crowd-pleaser** [kráud plíːzər] 名 可	大衆ウケするような作品	-
□□□ **page-turner** [péidʒ təːrnər] 名 可 ▶ 形 page-turning	（どんどんページをめくりたくなってしまうほど）面白い本	-
□□□ **spoiler** [spɔilər] 名 可	ネタバレ	-
□□□ **padding** [pǽdiŋ] 名 不	不要な付け足し	**filling**
□□□ **twist** [twíst] 名 可	ひねり	-
□□□ **sci-fi** [sáifái] 名 不	SF（science fictionの省略形）	-
□□□ **read** [ríːd] 名 可	読み物	**book, something to read**
□□□ **paperback** [péipərbæk] 名 不	ペーパーバック	-
□□□ **poet** [póuət] 名 可	詩人	-

例文の日本語訳	例文	備考
ファンは、その大ヒット小説の続編を待ち望んでいます。	**Fans eagerly await the sequel to the best-selling novel.**	
話の予想がついてしまうので、大衆ウケするような映画は避けるようにしています。	**I try to avoid crowd-pleasers because these kinds of movies are so predictable.**	
その小説はページをめくる手が止まらず、一気に読み終えてしまいました。	**The novel was such a page-turner that I finished it in one sitting.**	
プロットには多くの素晴らしいひねりがあり、ネタバレはありませんでした。	**The plot had many great twists, and there were no spoilers.**	
ストーリー展開が意味不明なものもあり、不要な付け足しの多い作品でした。	**Some storylines just made no sense, and there was a lot of padding.**	
この本の筋書きには、たくさんのひねりが加えられています。	**The plot of the book has plenty of twists.**	
特に、アクション映画やSF映画が好きです。	**I especially like action and sci-fi movies.**	日本語の「SF」にあたる語は、英語ではこのように表現することが多い。
力強く、感動的な読み物を探している人にお勧めします。	**I would recommend it to anyone looking for a powerful and inspirational read.**	「read」という語は名詞としてもよく使われる。通常は「○○な読み物」というように修飾語句をともなう。
この本は現在、ペーパーバックで発売されています。	**The book is now available in paperback.**	表紙が紙でできている、廉価な本のこと。日本でいう文庫本のような位置づけ。
彼女は非常に才能のある詩人でした。	**She was an extremely gifted poet.**	カタカナ英語の「ポエマー」ではないので注意。

［文化］❹

37

単語	日本語訳	言い換え・関連語
□□□ **self-expression** [sélf ikspréʃən] 名 不	自己表現	-
□□□ **ingenuity** [indʒənúːəti] 名 不 ▶ 反 inability	独創性	**inventiveness**
□□□ **attire** [ətáiər] 名 不 ▶ 動 attire	衣装、服装	**dress, costume**
□□□ **outfit** [áutfit] 名 可	衣装、コーディネート（された服装）	**attire** ※outfitよりも特定された状況で着る衣装というニュアンス
□□□ **transition** [trænzíʃən] 自 動 ▶ 名 transition 形 transitional	移行する	**shift**
□□□ **improvise** [ímprəvàiz] 自 動 ▶ 名 improvisation	即興で演奏する	**wing it**
□□□ **relate** [riléit] 自 動	理解する、共感する	**empathize, understand**
□□□ **delve** [délv] 自 動 ▶ 反 skim over	探求する、掘り下げる	**dig**
□□□ **opt** [ɑpt] 自 動	選ぶ	**choose**

例文の日本語訳	例文	備考
ファッションは自己表現のひとつですが、ファッションでその人のすべてがわかるわけではありません。	**Fashion can be used as a form of self-expression, but it doesn't tell you everything.**	
創造性、独創性、センスこそ、作曲家の真の才能です。	**Creativity, ingenuity, and flair are the songwriter's real talents.**	
彼はプロフェッショナルな服装で面接に臨み、とても洗練されて見えました。	**He arrived at the interview in professional attire and looked very polished.**	
そのインスタグラマーは、週末の旅行で着た流行りのコーディネートで写真を投稿しました。	**The Instagrammer posted a photo in her trendy outfit from the weekend getaway.**	「coordinate」は日本語の「コーディネート」の意味では通常使わない。
音楽産業はデジタルへと移行してきていて、世界的に音楽を楽しむ方法が変化しています。	**The music industry is transitioning to digital, changing how we enjoy music globally.**	名詞としてもよく使われる。
特にミュージシャンが即興で演奏するジャズは、私の好みに合いません。	**Jazz is not to my taste, especially when musicians improvise.**	
愛について語る歌詞に共感できます。	**I can relate to the lyrics of the song about love.**	「関連する」という意味でよく知られているがこの意味でもよく使われる。
映画の中にある隠されたメッセージを深く掘り下げて発見するのが好きです。	**I like to delve deeper to discover the subliminal messages in movies.**	
私は普段、費用を節約するために、家で映画を見ることを選びます。	**I usually opt to watch a movie at home to save on costs.**	

［文化］❺

38

単語	日本語訳	言い換え・関連語
□□□ **binge-watch** [bíndʒ wɑtʃ] 他動	見まくる	-
□□□ **peruse** [pərú:z] 他動 ▶ 反 skim over	熟読する	scrutinize
□□□ **amuse** [əmjú:z] 他動 ▶ 反 bore, annoy	楽しませる	entertain, please
□□□ **criticize** [krítəsàiz] 他動 ▶ 名 criticism	批評する	-
□□□ **integral** [íntəgrəl] 形	不可欠の	essential
□□□ **mainstream** [méinstrì:m] 形 ▶ 動 mainstream	主流の	predominant
□□□ **quintessential** [kwintəsénʃəl] 形 ▶ 副 quintessentially	典型的な	typical
□□□ **tone-deaf** [tóun déf] 形	音痴	unmusical

	例文の日本語訳	例文	備考
	時々、一つの番組に熱中して、数日間に渡って見まくることがあります。	**Sometimes, I am really into a show and binge-watch it over a few days.**	
	新しいことを学ぶのに最適な方法は、本を熟読することです。	**A great way to learn something new is to peruse a book.**	
	ジャーナリストは、本物の情報を提供して、読者や視聴者を楽しませます。	**Journalists amuse their readers and audience by providing authentic information.**	
	彼は、この計画は非現実的であると公然と批判しました。	**He openly criticized the plan as impracticable.**	
	日本人にとって、緑茶を飲むことは欠かせないことです。	**Drinking green tea is an integral part of being Japanese.**	
	ヨガは主流のエクササイズとなり、あらゆる年齢層の人々に受け入れられています。	**Yoga has become a mainstream activity and it's embraced by people of all ages.**	
	ビートルズは、音楽がいかに世代に影響を与えるかを示す典型的な例です。	**The Beatles are the quintessential example of how music can influence a generation.**	
	私は音痴なので、歌の仕事は考えたことがありません。	**I'm tone-deaf, so a singing career has never been something I've considered.**	

［文化］❻

39

単語	日本語訳	言い換え・関連語
□□□ **soothing** [sú:ðiŋ] 形 ▶ 動 soothe 反 disturbing, intimidating	癒される	**relaxing**
□□□ **catchy** [kǽtʃi] 形 ▶ 反 boring	人の心をとらえる、覚えやすい	**melodious**
□□□ **upbeat** [ʌpbì:t] 形 ▶ 反 depressing	明るい、ノリが良い	**cheerful**
□□□ **erratic** [irǽtik] 形 ▶ 反 consistent	一貫性のない、不安定な	**irregular**
□□□ **riveting** [rívətiŋ] 形 ▶ 動 rivet 反 boring, dull	わくわくするような、魅力的な	**gripping, captivating**
□□□ **spectacular** [spektǽkjələr] 形 ▶ 副 spectacularly	迫力のある、華やかな	**sensational**
□□□ **superb** [supə:rb] 形 ▶ 副 superbly	すばらしい、見事な	**splendid**
□□□ **thought-provoking** [θɔ:t prəvóukiŋ] 形	考えさせる、思考を刺激するような	**intriguing, inspirational**

例文の日本語訳	例文	備考
夜には素敵な癒しの音楽をかけます。	**I put on some nice soothing music at night.**	「癒し」と言えば「healing」が思いつくが、「病気や傷を癒す」という意味合いが強いので、単にストレスをやわらげたり静かな様子を言いたい時はsoothingやrelaxingが良い。
思わず足を踏み鳴らすほどキャッチーな曲です。	**The song's so catchy that it makes you tap your feet.**	
悲しい気分の時は、明るい音楽をかけると、一気に元気になります。	**When I'm feeling sad, I put on some upbeat music and feel better at once.**	
彼女はとても気まぐれで、ある日は人懐っこく、次の日にはほとんど口を利かなくなることもあります。	**She can be very erratic; one day, she is friendly, and the next, she'll hardly speak to you.**	
彼の作品の中で、最も魅力的な作品とは言い難いものでした。	**It was hardly the most riveting of his works.**	
派手なスタントがたくさんある典型的なアクション映画です。	**It's a quintessential action film with plenty of spectacular stunts.**	
この本の図版はすばらしいものです。	**The artwork in the book is superb.**	
これらの映画は思考を刺激し、多くのことを考えさせられます。	**These films are thought-provoking and leave you with plenty to ponder.**	

[文化] ❼

40

単語	日本語訳	言い換え・関連語
□□□ **insightful** [ínsàitfəl] 形 ▶ 副 insightfully	洞察力がある、鋭い	perceptive
□□□ **factual** [fǽktʃuəl] 形 ▶ 名 fact 反 fictional	事実の、実用の	fact-based
□□□ **elaborate** [ilǽbərət] 形 ▶ 名 elaboration 副 elaborately 反 simple, plain	手の込んだ、凝った	detailed
□□□ **suitable** [sútəbəl] 形 ▶ 動 suit 副 suitably 反 unsuitable	適した、ふさわしい	appropriate
□□□ **nostalgic** [nɑstǽldʒik] 形 ▶ 名 nostalgia	懐かしい、ノスタルジックな	sentimental
□□□ **best-selling** [bést séliŋ] 形	最も売れている	top-selling
□□□ **actively** [ǽktivli] 副 ▶ 形 active 反 passively	積極的に、能動的に	-
□□□ **passively** [pǽsivli] 副 ▶ 形 passive 反 actively	受動的に	-

例文の日本語訳	例文	備考
彼女の著書は、ソーシャルメディアが現代の人間関係に与える影響について、鋭い分析を示しています。	**Her book offers an insightful analysis of the impact of social media on modern relationships.**	
子ども向けの実用書です。	**It's a factual book for children.**	
彼は手の込んだ衣装で知られています。	**He is known for his elaborate costumes.**	動詞のような語尾のため、誤解しやすいので注意。
性的な映像は、子どもにふさわしくないので流すべきではありません。	**Sexual images should not be streamed as they are not suitable for children.**	
この本の全体的なトーンは、優しく懐かしいものです。	**The overall tone of the book is gently nostalgic.**	
村上春樹は日本で最も売れている作家です。	**Haruki Murakami is a best-selling author in Japan.**	
スポーツに積極的に参加することで、身体の健康と社会性を向上させることができます。	**Actively participating in sports can improve physical health and social skills.**	
受動的に講義を聞くだけでは効果がないかもしれません。	**Listening passively to lectures may not be effective.**	

［文化　熟語］❶

41

単語	日本語訳	言い換え・関連語
□□□ **cultural diversity** [kʌltʃərəl dəvə:rsəti] 名 不	文化的多様性	**multiculturalism, cross-culturalism**
□□□ **melting pot** [méltiŋ pɑt] 名 可	人種・文化のるつぼ	**ethnic diversity**
□□□ **primetime show** [práim táim ʃóu] 名 可	ゴールデンタイムの番組	-
□□□ **piece of music** [pí:s əv mjú:zik] 名 可	（一つの）曲	**song**（歌詞がある場合）
□□□ **huge following** [hjú:dʒ fɑlouiŋ] 名 可	多くのファン	**many fans**
□□□ **bedtime reading** [bédtàim rí:diŋ] 名 不	寝る前の読書	-
□□□ **critical thinking** [krítikəl] 名 不	批評的思考	**objective analysis**
□□□ **put it on repeat** [pút ít ɑn ripít] 動	繰り返し再生する	**repeat**

例文の日本語訳	例文	備考
その学校では、生徒同士の理解を深めるため、文化の多様性について教えています。	**The school teaches about cultural diversity to foster understanding among students.**	
ニューヨークはよく「人種のるつぼ」と言われますが、多様な文化が融合しています。	**New York City is often described as a melting pot, where diverse cultures blend.**	
仕事が終わった後の楽しみのひとつに、昔のゴールデンタイムの番組を見ることがあります。	**One of the things I like to do after work is watching old primetime shows.**	「ゴールデンタイム」は和製英語。
この日のために、新しい音楽が書き下ろされました。	**A new piece of music was specially written for the occasion.**	musicは不可算名詞のため、1曲のみを数えたいときは、このようにpiece ofを付ける。songは可算名詞だが、歌詞がない曲にはsongという単語を使うことができない。
現代のスターは多くのファンが居てSNS上でコミュニケーションをとっています。	**Modern pop stars have a huge following and they communicate with them on social media.**	
就寝前の1時間の読書がないと寝付けません。	**I can't fall asleep without an hour of bedtime reading.**	
同社は、批判的思考のアプローチで仕事に取り組める社員を高く評価しています。	**The company values employees who can bring a critical thinking approach to their work.**	
妹はこの曲が好きで、普段から繰り返し聴いています。	**My sister likes the song so much that she usually puts it on repeat.**	

［文化　熟語］❷

42

単語	日本語訳	言い換え・関連語
□□□ **recharge one's batteries** ［ritʃardʒ bǽtəriz］ 動	（エネルギーを）充電する	**lift someone up**
□□□ **lift someone up** ［lift ʌp］ 動	元気づける	**recharge one's batteries**
□□□ **touch one's heart** ［tʌtʃ hart］ 動	心を打つ	**move someone**
□□□ **sing along to** ［siŋ əlɔŋ túː］ 動	～に合わせて歌う	-
□□□ **judge a book by its cover** ［dʒʌdʒ ə búk bái íts kʌvər］ 動	本を表紙で判断する	-
□□□ **live up to** ［láiv ʌp túː］ 動	期待に応える	**meet**
□□□ **hold someone in high esteem** ［hóuld in hái istíːm］ 動	敬愛する	**admire someone**
□□□ **all-time favorite** ［ɔl táim féivərət］ 形	大好きな	-
□□□ **from cover to cover** ［frəm kʌvər túː kʌvər］ 副	隅から隅まで	-

	例文の日本語訳	例文	備考
	この曲を聴くと、仕事でストレスがたまったときに充電することができるのです。	Listening to this song helps me recharge my batteries after stressful hours at work.	
	素晴らしい歌ほど、私を元気づけてくれるものはありません。	There was nothing that could lift me up more than a superb song.	
	彼のスピーチは感動的で、私の心にも響きました。	His speech was inspiring and touched my heart.	
	ファンはコンサート中、好きなバンドのヒット曲に合わせて歌うのが大好きです。	Fans love to sing along to their favorite band's hits during concerts.	
	「本を表紙で判断してはいけない」という諺がありますが、私は表紙が魅力的だったのでこの本を選びました。	A proverb says, “don't judge a book by its cover,” but I chose this book because the cover was appealing.	
	続編は、前作のヒットによって高められた期待に応えようと苦戦しました。	The sequel struggled to live up to the high expectations set by the original movie's success.	
	私は、祖父の知恵と優しさを尊敬しています。	I hold my grandfather in high esteem because of his wisdom and kindness.	
	その日の夕食で、母は私の大好物を2つ出してくれました。	That night, my mother served two of my all-time favorite foods at dinner.	
	彼の小説を2日で隅から隅まで読みました。	I read his novel from cover to cover in 2 days.	

練習問題

Question 1

What kind of books do you like?

I enjoy reading a wide variety of books, but I particularly like sci-fi books. I find the concept of imagining a different world or future fascinating. I like it when the author uses foreshadowing techniques to give hints about what's going to happen in the plot, and keeps me guessing. I enjoy getting lost in the story and being able to imagine the world and characters in my mind as I read.

どのような本が好きですか？

私はさまざまな本を読むのが好きですが、特にSFが好きです。異なる世界や未来を想像するというコンセプトが魅力的なんです。作者が伏線のテクニックを使って、筋書きの中で何が起こるのかヒントを与え、推理させるのも好きです。物語に没頭し、読みながら自分の頭の中で世界や登場人物を想像できるのが楽しいです。

Question 2

Do you like music?

Yes, I love music! It's a great way to express emotions and connect with others. I enjoy listening to different genres, such as pop, rock, and hip-hop. I appreciate the lyrics and the message in a song, how the tune is composed, and how it makes me feel. Music has the power to lift my mood up and recharge my batteries.

音楽は好きですか？

はい、私は音楽が大好きです！ 感情を表現したり、人とつながったりするのに最適な方法だからです。ポップス、ロック、ヒップホップなど、さまざまなジャンルを楽しんで聴いています。歌詞や曲のメッセージ、そして曲の構成や自分の気持ちを表現することも含めて、とても大切にしています。音楽は私の気分を高揚させ、活力を与えてくれるものです。

Question 3

Do you like to watch movies in theaters?

I do enjoy watching movies in theaters as it allows me to fully immerse myself in the experience. There's nothing quite like the feeling of sitting in a dark room, surrounded by strangers, and watching a movie together. I like to watch different genres of movies, from crowd-pleasers to more experimental films. I also enjoy analyzing the plot and character development, and sometimes even the film's technical aspects.

＊immerse oneself in: ～に没頭する

＊there's nothing quite like: ～のようなものは他にはない

映画館で映画を見るのは好きですか？

私は、映画館で映画を見るのが好きです。なぜなら、映画の世界にどっぷり浸かることができるからです。暗い部屋で、見知らぬ人たちに囲まれて、一緒に映画を見るという感覚は、何にも代えがたいものです。観客を喜ばせる作品から実験的な作品まで、さまざまなジャンルの映画を見るのが好きです。また、プロットやキャラクターの展開、時には映画の技術的な面を分析することも楽しみです。

Question 4

What are the advantages of reading books?

One advantage is that it allows individuals to delve into new worlds and gain new perspectives on different topics. For example, reading a book set in a different country or culture can give me a deeper understanding and appreciation of that place and its people. Additionally, reading can be a thought-provoking and intellectually stimulating activity, which can actively engage the mind and promote critical thinking. Reading books can also be a great way to relax and unwind after a long day. For instance, bedtime reading helps me to forget about the day's stress and have a good night's sleep.

本を読むことのメリットは何ですか？

利点のひとつは、新しい世界に入り込み、さまざまなテーマについて新しい視点を得ることができることです。例えば、異なる国や文化を舞台にした本を読めば、私自身、その土地や人々に対する理解や 認識がより深まります。さらに、読書は示唆に富み、知的好奇心を刺激する活動であり、積極的に精神に働きかけ、批判的思考を促します。また、本を読むことは、長い一日の疲れを癒すのに最適な方法です。例えば、私は寝る前に本を読むことで、一日のストレスを忘れ、ぐっすりと眠ることができます。

Question 5

What books are popular in Japan?

Children and adults alike read comic books in Japan. The genre in those comic books can be adventures, mysteries, love stories, or friendships. Some of their plots are elaborate and riveting and more like movies than just books for children. Foreign visitors are quite surprised to see adults, even ones in their 50s or older, reading comic books on the train. These comic books are even translated and exported overseas, especially to many Asian countries.

＊alike:同様に

日本ではどんな本が人気ですか？

日本では子供も大人もマンガを読んでいます。それらの漫画のジャンルは、冒険、ミステリー、ラブストーリー、友情など様々です。中には、子供向けの本というより、映画のような凝ったストーリーで、引き込まれるものもあります。外国人観光客は、50代以上の大人が電車の中でマンガを読んでいるのを見て、とても驚きます。これらの漫画は、海外、特にアジアの国々で翻訳され、輸出されているほどです。

Question 6

Why do some organizations or companies insist that their employees wear a uniform?

One reason is that uniforms can promote a sense of unity and team spirit among employees. Additionally, uniforms can help to create a professional image and establish a strong brand identity for the company. Uniforms can also help to ensure that employees are dressed in a suitable and appropriate manner for the workplace. Some companies may also use uniforms to assimilate immigrants or people from different ethnic backgrounds into the company culture.

＊brand identity: ブランドの独自性

なぜ、組織や会社によっては、従業員に制服の着用にこだわるのでしょうか？

理由の1つは、ユニフォームが従業員の一体感やチームスピリットを促進することができることです。さらに、制服は、プロフェッショナルなイメージを作り、会社の強力なブランドアイデンティティを確立するのに役立てることができます。制服はまた、従業員が職場にふさわしい、適切な方法で服を着ているようにすることができます。企業によっては、移民や異なる民族的背景を持つ人々を企業文化に同化させる方法としてユニフォームを利用することもあるようです。

[食べ物]

栄養と食生活

obesity
well-being
excessive
authentic

diet
nutrition
carbohydrate
ingredient
feast
intake
consume
crave
incorporate
function
condition
ration
hurt
well-balanced
harmful
hydration

steer clear of
fussy eater
sweet tooth

psychological
physical
state of mind

processed
fermented

hygiene
stay healthy
lead a healthy
develop habits

健康と医療

painkiller
check-up
prescribe
symptom
infection
prevention
vaccine
disorder
disease
contagious
blood pressure level
chronic disease
life expectancy
immune
ill
come down with
get over
sanitary

料理

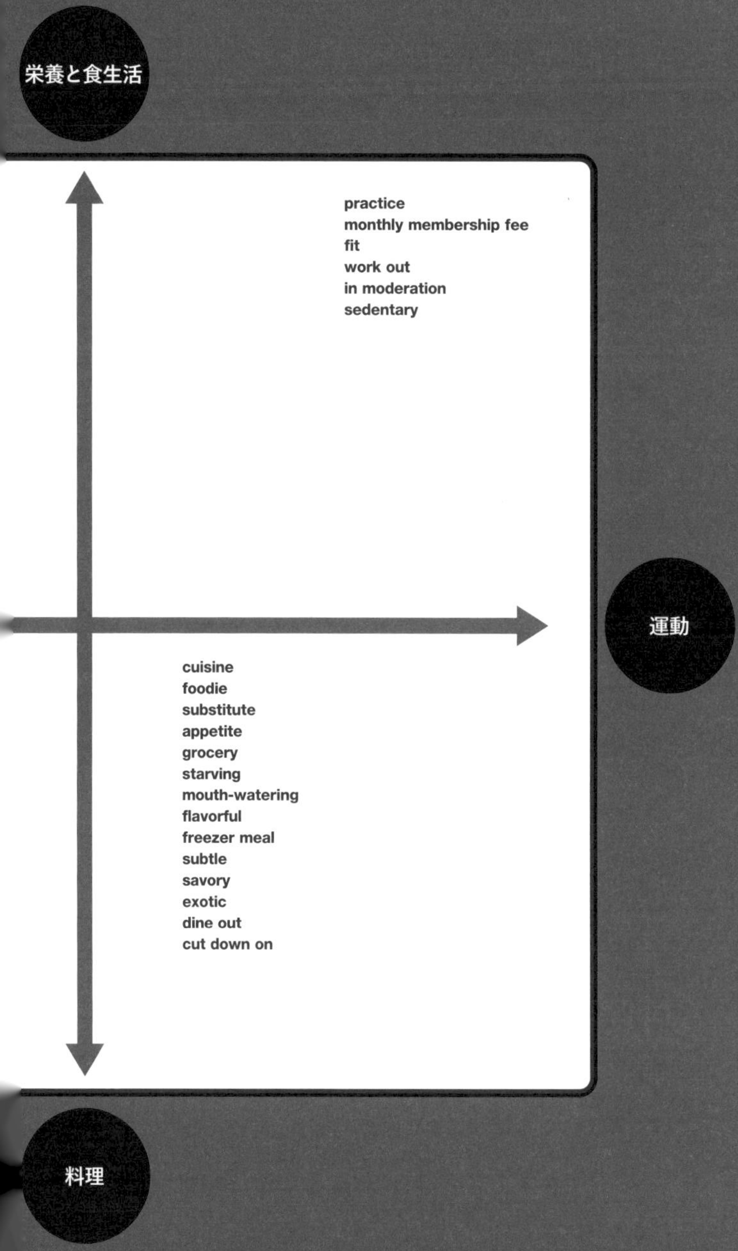

栄養と食生活

practice
monthly membership fee
fit
work out
in moderation
sedentary

運動

cuisine
foodie
substitute
appetite
grocery
starving
mouth-watering
flavorful
freezer meal
subtle
savory
exotic
dine out
cut down on

料理

［食べ物］❶

43

	単語	日本語訳	言い換え・関連語
□□□	**nutrition** [nu:tríʃən] 名 不 ▶ 形 nutritious	栄養	nutrients
□□□	**carbohydrate** [kɑrbouháidreit] 名 可	炭水化物	-
□□□	**ingredient** [ingrí:diənt] 名 可	材料	element
□□□	**feast** [fí:st] 名 可	宴会、ごちそう	banquet
□□□	**intake** [íntèik] 名 可	摂取量	consumption
□□□	**obesity** [oubí:səti] 名 不 ▶ 形 obese	肥満	fatness
□□□	**painkiller** [péinkìlər] 名 可	鎮痛剤	-
□□□	**check-up** [tʃékʌp] 名 可	健康診断、検査	medical exam, health check
□□□	**symptom** [símptəm] 名 可	症状	indication, sign
□□□	**infection** [infékʃən] 名 不/可 ▶ 形 infectious	感染、感染症	contagion

例文の日本語訳	例文	備考
バランスの良い食事をとると、体に栄養を補給することができます。	**A balanced diet provides nutrition for your body.**	
スポーツ選手は通常、高炭水化物の食事をします。	**Athletes usually have a high-carbohydrate diet.**	“carb”と略すことがある。
海藻は多くの日本料理に欠かせない食材です。	**Seaweed is an essential ingredient in many Japanese dishes.**	食べ物以外のものの材料としても使える。
その宴会では、食べ物も飲み物も豊富にありました。	**At the feast, there was food and drink in abundance.**	
脂肪の摂取を控えめに維持しないといけません。	**I should maintain a low intake of fat.**	
肥満の増加を考えると、不健康な食べ物のテレビ広告を禁止すべきかもしれません。	**With rising obesity levels, maybe unhealthy food should be banned from TV advertisements.**	
手術後、医師は不快感を和らげるために鎮痛剤を処方してくれました。	**After the surgery, the doctor prescribed a painkiller to help manage the discomfort.**	
医師は彼に徹底的な検査を施しました。	**The doctor gave him a thorough check-up.**	間のハイフンがない状態(checkup)でもよく使われる。
彼は典型的なインフルエンザの症状が出ていました。	**He was showing all the typical flu symptoms.**	
感染力の強い感染症です。	**It's a highly contagious infection.**	「感染」という意味では不可算名詞、「感染症」という意味では可算名詞。

［食べ物］❷

44

単語	日本語訳	言い換え・関連語	
□□□ **prevention** [privénʃən] 名 不 ▶ 動 prevent	予防、防止	-	
□□□ **vaccine** [væksíːn] 名 不/可 ▶ 名 vaccination	ワクチン	injection	
□□□ **disorder** [disɔ́rdər] 名 可	不調、障害	disease, trouble, problem	
□□□ **disease** [dizíːz] 名 可	病気	disorder	
□□□ **cuisine** [kwizíːn] 名 不	料理	food, dishes	
□□□ **foodie** [fúːdi] 名 可	グルメな人、食にこだわりがある人	gourmet	
□□□ **substitute** [sʌ́bstətùːt] 名 可 ▶ 動 substitute 名 substitution	代替品	replacement	
□□□ **appetite** [ǽpitàit] 名 可/不 ▶ 形 appetizing	食欲	-	
□□□ **grocery** [gróusəri] 名 可	食料品店、（複数形の場合）食料雑貨類	supermarket, foodstuff	
□□□ **well-being** [wélbìiŋ] 名 不	幸福で健康な状態	-	

例文の日本語訳	例文	備考
予防は治療よりも大切です。	**Prevention is more important than cure.**	
新ワクチンは現在も開発中です。	**The new vaccine is still under development.**	日本語の「ワクチン」とは発音が大幅に違うので注意。
その家族は、精神障害の病歴があります。	**The family has a history of mental disorders.**	
心臓病は世界的な死因の第一位となっています。	**Heart disease is the leading cause of death worldwide.**	
そのレストランでは、世界各国の料理が楽しめます。	**The restaurant serves international cuisine.**	発音に注意。
私は本当に食べ物に目がないので、何でも試します。	**I'm a real foodie, so I'll try everything.**	
豆腐は多くのベジタリアン料理において、広く使われている肉の代用品です。	**Tofu is a widely used meat substitute in vegetarian diets.**	
新鮮な空気の中を長く歩くと、いつも食欲が増してきます。	**A long walk in the fresh air always increases my appetite.**	一般的な意味では不可算、具体的な意味では可算。
食料品店には、加工された食品がたくさん売られています。	**Grocery stores sell many foods that have been processed.**	
バランスのとれた食事と定期的な運動は、心身ともに健康であるために重要です。	**Eating a balanced diet and exercising regularly are essential for one's well-being.**	単に体が健康というだけではなく、心身ともに満足のおける状態を指すことが多い。

[食べ物] ❸

45

単語	日本語訳	言い換え・関連語
□□□ **practice** [prǽktis] 名 不/可 ▶ 動 practice	習慣	habit, routine
□□□ **diet** [dáiət] 名 不/可 ▶ 形 dietary	食事	meals
□□□ **hydration** [haidréiʃən] 名 不	水分補給	-
□□□ **hygiene** [háidʒiːn] 名 不 ▶ 形 hygienic	衛生、健康法	sanitation
□□□ **workout** [wəːkaut] 名 可 ▶ 動 work out	運動	exercise
□□□ **consume** [kənsjúːm] 他 動	摂取する	eat and drink
□□□ **crave** [kréiv] 他/自 動	とても欲しがる、強く望む	hunger for
□□□ **incorporate** [inkɔːrpərèit] 他 動 ▶ 名 incorporation	取り入れる	integrate, include

	例文の日本語訳	例文	備考
	私は毎朝、出勤前に瞑想することを習慣にしています。	I make a practice of meditating every morning before work.	「練習」としてよく知られている語だが、この意味でもよく使われる。一般的な意味では不可算、具体的な意味では可算。
	食事と運動も同様に重要です。	Diet and exercise are equally important.	日本語の「ダイエット」よりも広義で食事法全般として使われ、痩せるための運動などは含まないことが多い。一般的な意味では不可算、具体的な意味では可算。
	適切な水分補給は、特に運動後の健康全般にとって不可欠です。	Proper hydration is essential for overall health, especially after a workout.	
	感染症の蔓延を防ぐには、個人の衛生状態を良好に保つことが極めて重要です。	Maintaining good personal hygiene is crucial for preventing the spread of infections.	
	朝の運動で1日を始めると、エネルギーレベルが上がり、集中力が高まります。	Starting the day with a morning workout can boost energy levels and improve focus.	「運動する」という意味では、do, haveといった動詞と一緒に使う。
	多くの人は、自分がどれだけ食べ物や飲み物を摂取しているのか、自覚していません。	Many people are unaware of just how much food and drink they consume.	
	長い一日が終わると、ピザやアイスクリームのようなリラックスできる食べ物が欲しくなります。	After a long day, I often crave comfort food like pizza or ice cream.	
	運動を生活に取り入れるちょっとした工夫はあります。	There are small ways you can incorporate exercise into your life.	

[食べ物] ❹

46

単語	日本語訳	言い換え・関連語
□□□ **function** [fʌŋkʃən] 自 動 ▶ 形 functional	機能する	perform, work
□□□ **condition** [kəndíʃən] 他 動 ▶ 形 conditional	調子を整える	-
□□□ **prescribe** [priskráib] 他 動 ▶ 名 prescription	処方する	-
□□□ **ration** [rǽʃən] 他 動 ▶ 形 rational	制限する	limit
□□□ **hurt** [həːrt] 他 動 ▶ 形 hurtful	傷つける	harm, damage
□□□ **fit** [fít] 形 ▶ 名 fitness	引き締まった	in shape
□□□ **exotic** [igzɑtik] 形 ▶ 反 ordinary	異国風の、外国産の、珍しい	foreign
□□□ **well-balanced** [wél bǽlənst] 形 ▶ 反 unbalanced	バランスのとれた	sound

例文の日本語訳	例文	備考
昨日までテレビは正常に機能していました。	**The TV was functioning normally until yesterday.**	名詞としてよく知られているが、動詞としても便利に使える語。
私は定期的な運動とバランスの取れた食事で体の調子を整えています。	**I condition my body with regular workouts and a balanced diet.**	名詞としてよく知られているが、動詞としても便利に使える語。
痛み止めを処方されました。	**I was prescribed painkillers.**	例文のように受動態の形で使われることも多い。
卵は週に2個までと決められていました。	**We were rationed to two eggs a week.**	
友人の怒りの言葉が私の心を傷つけました。	**My friends' angry words hurt my feelings.**	過去形・過去分詞形もhurtなので注意。
彼女は身体を引き締め、健康を維持するために、毎日ランニングをし、バランスの取れた食事をしています。	**She runs daily and follows a balanced diet to keep fit and stay healthy.**	
最近は、寿司はあまり珍しくなくなったような気がします。	**Sushi might seem a bit less exotic these days.**	
ストレスに対処するためには、適切な栄養を含むバランスのよい健康的な食事が有効です。	**A healthy well-balanced diet containing proper nutrition can be used to help cope with stress.**	

[食べ物] ❺

47

単語	日本語訳	言い換え・関連語
□□□ **harmful** [harmfl] 形 ▶ 動 harm 反 safe	有害な	damaging
□□□ **psychological** [sàikəlɑ' dʒikəl] 形 ▶ 副 phychologically 反 physical	心の、精神的な	mental
□□□ **physical** [fízikəl] 形 ▶ 副 physically 反 mental, psychological	身体の、肉体の	-
□□□ **ill** [íl] 形 ▶ 名 illness 反 healthy	病気の	sick
□□□ **sedentary** [sédəntèri] 形 ▶ 副 sedentarily 反 active	座っている、座りがちな	inactive
□□□ **starving** [stɑ:viŋ] 形 ▶ 反 full	とてもお腹がすいている	very hungry
□□□ **mouth-watering** [máuθ wɔ:təriŋ] 形	よだれが出そうなほどおいしそうな	appetizing
□□□ **flavorful** [fléivəful] 形 ▶ 名 flavor 反 tasteless	風味豊かな	delicious

	例文の日本語訳	例文	備考
	過剰な飲酒は害になることがあります。	**Alcohol can be harmful if taken in excess.**	
	彼は心理的ストレスに対処するためにセラピーを受けました。	**He attended therapy to address his psychological stress.**	発音に注意
	身体の健康は、心の健康と表裏一体です。	**Physical health is inextricably linked to mental health.**	
	彼女は癌で重篤な状態でした。	**She was critically ill with cancer.**	
	座りっぱなしの仕事をしている人は、運動をする必要があります。	**People in sedentary jobs need to take exercise.**	昨今は「座り続けていること」が健康に有害だとされており、その文脈でよく使われる語。
	昼食を抜いたので、とてもお腹が空いていたのです。	**I was starving because I had skipped lunch.**	厳密には「飢えている」という意味だが、口語ではhungryの強調表現としてよく使われる。
	食欲をそそる美味しい料理がテーブルにたくさん並んでいました。	**There was plenty of delicious, mouth-watering food on the table.**	
	風味豊かなスパイスを配合することで、卵に独特の繊細な味わいを持たせています。	**A flavorful spice mixture gives the eggs a unique and subtle taste.**	

[食べ物] ❻

48

単語	日本語訳	言い換え・関連語
□□□ **subtle** [sʌtl] 形 ▶ 副 subtly 反 obvious	微妙な、繊細な、ほのかな	delicate
□□□ **savory** [séivəri] 形 ▶ 反 sweet	甘くない、しょっぱい	-
□□□ **processed** [prəsést] 形 ▶ 反 unprocessed	加工された	refined
□□□ **fermented** [fəːrméntəd] 形 ▶ 名 fermentation	発酵した	-
□□□ **authentic** [ɔθéntik] 形	真正の、本物の	-
□□□ **excessive** [iksésiv] 形 ▶ 動 exceed 副 excessively	過度な	too much, in excess
□□□ **sanitary** [sǽnətèri] 形 ▶ 副 sanitarily	衛生の、衛生的な	hygienic
□□□ **immune** [imjúːn] 形 ▶ 名 immunity	免疫がある、免疫の	resistant
□□□ **contagious** [kəntéidʒəs] 形 ▶ 副 contagiously	伝染性の	infectious

	例文の日本語訳	例文	備考
	ニンニクのほのかな味が、他の食材を邪魔することなく、風味を引き立てていました。	**The dish had a subtle taste of garlic that enhanced its flavor without overpowering the other ingredients.**	発音に注意。
	私は甘い食べ物よりしょっぱい食べ物が好きです。	**I prefer savory dishes to sweet ones.**	甘くないもの全般を指す言葉。
	食料品店では、加工された食品を多く販売しています。	**Grocery stores sell many processed foods.**	
	緑茶は発酵されないが、紅茶は完全に発酵されます。	**Green tea is not fermented, while black tea is fully fermented.**	
	街で本格的なイタリアンの店を見つけると、外食が本当に特別な体験になります。	**Finding an authentic Italian restaurant in the city makes dining out a truly special experience.**	例文のように、「アレンジされていない、本当の味に近い、その国の料理」という意味で使われることが多い。
	過度の飲酒は胃腸障害につながります。	**Excessive drinking can lead to stomach disorders.**	
	すべての食品は、衛生的な条件下で調理されなければなりません。	**All food should be prepared under sanitary conditions.**	
	ワクチンを接種したからといって、必ずしも免疫ができるわけではありません。	**The vaccination doesn't necessarily make you completely immune.**	
	伝染性疾患のある人は隔離すべきです。	**People with contagious diseases should be isolated.**	

[食べ物　熟語] ❶

49

単語	日本語訳	言い換え・関連語
□□□ **blood pressure level** [blʌd préʃər lévl] 名 可	血圧	-
□□□ **state of mind** [steit əv máind] 名	心理、心の状態	**mental state**
□□□ **monthly membership fee** [mʌnθli mémbərʃip fí:] 名 可	月会費	-
□□□ **chronic disease** [kranik dizí:z] 名 可 ▶ 反 acute disease	慢性疾患	-
□□□ **life expectancy** [láif ikspéktənsi] 名 可	平均寿命	-
□□□ **freezer meal** [frízər mí:l] 名 可	冷凍保存食	-
□□□ **fussy eater** [fʌsi í:tər] 名 可	食にこだわりがある人	**picky eater**
□□□ **sweet tooth** [swi:t tuθ] 名 可	甘いもの好き	-
□□□ **stay healthy** [stéi hélθi] 動 ▶ 反 be in bad health	健康維持をする	**keep oneself healthy**

例文の日本語訳	例文	備考
血圧は日によっても、瞬間によってさえも変化します。	**Your blood pressure level varies from day to day, even from moment to moment.**	
瞑想は穏やかな精神状態を得るのに効果があります。	**Meditation can help you achieve a peaceful state of mind.**	
ジムに行かなくなり、月会費が無駄になりました。	**I stopped going to the gym, and my monthly membership fee was wasted.**	
慢性疾患は、高齢者に発症しやすい傾向があります。	**Chronic diseases tend to occur in older adults.**	
日本人の平均寿命はとても長いです。	**Japanese people have a very high life expectancy.**	
忙しい夜には、冷凍保存食は時間の節約になりますね。	**Freezer meals are such time savers when it comes to busy nights.**	
彼女はとても食にうるさいんです。	**She's such a fussy eater.**	
昔から甘いものが好きなんです。	**I've always had a sweet tooth.**	この意味では通常、単数形でaを付けて表現。
適度な飲食が健康維持につながります。	**Eating and drinking in moderation is the way to stay healthy.**	

［食べ物　熟語］❷

50

単語	日本語訳	言い換え・関連語	
□□□ **lead a lifestyle** [líːd ə láifstàil] 動	生活を送る	have a lifestyle	
□□□ **develop (a) habit(s)** [divéləp (ə) hǽbit(s)] 動 ▶ 反 break (a) habit(s)	習慣を身に着ける	acquire/form (a) habit(s)	
□□□ **come down with** [kʌm dáun wíð] 動 ▶ 反 get over	（病気など）にかかる	get, catch	
□□□ **get over** [get óuvər] 動 ▶ 反 come down with	回復する	recover from	
□□□ **dine out** [dáin áut] 動 ▶ 反 eat at home, eat in	外食する	eat out	
□□□ **cut down on** [kʌt dáun ɑn] 動 ▶ 反 increase	減らす、制限する	reduce, limit	
□□□ **steer clear of** [stíər klíər əv] 動	避ける、控える	stay away from	
□□□ **in moderation** [in mɑdəréiʃən] 前 ▶ 反 excessively	適度に、ほどほどに	moderately	

例文の日本語訳	例文	備考
健康でいるためには、アクティブな生活を送ることが大切です。	**To stay as healthy as possible, it's important to lead an active lifestyle.**	通常は、lifestyleの前に形容詞が付いて、どのような生活かという修飾がされる。
習慣を身につけるには、約30日かかります。	**It takes about 30 days to develop a habit.**	
彼女は感染症にかかってしまいました。	**She came down with an infection.**	
インフルエンザが治るまで、ずいぶん時間がかかりました。	**It took me ages to get over the flu.**	
最近、家族で外食することはほとんどありません。	**My family rarely dines out these days.**	
彼は、コーヒーとタバコを減らすことに成功しました。	**He succeeded in cutting down on coffee and cigarettes.**	
主治医からはアルコールを控えるようにと言われました。	**My doctor advised me to steer clear of alcohol.**	
何事も程々に、は良いモットーです。	**Everything in moderation is a good motto.**	

練習問題

Question 1

What do you do to keep yourself healthy?

To maintain good health, I pay attention to my diet, exercise every day, and try to smile and laugh as much as I can. I make sure I get enough nutrition and exercise to keep fit. I also prioritize smiling and laughter because mental health is as important as eating well and exercising.

健康維持のために心がけていることは何ですか？
健康を維持するために、食生活に気を配り、毎日運動をし、できるだけ笑顔で、笑うように心がけています。健康的な体を維持するために、栄養と運動を心がけています。また、食事や運動と同じように心の健康も大切なので、笑顔と笑いを大切にしています。

Question 2

What is the most popular form of exercise in Japan?

A lot of people in Japan run. Most people don't have space in their homes for exercise equipment like lifts or treadmills. If they really want to use it, they go to the

gym, but many people would rather go for a free run than pay a monthly membership fee to a gym. Another factor is that most parts of Japan have temperate climates throughout the year, which makes it easier to sustain this exercise routine.

＊would rather V1 than V2: V2をするくらいならV1する

日本で最も人気のある運動は何ですか？

日本では多くの人がランニングをしています。ほとんどの人は、自宅にリフトやトレッドミルなどの運動器具を置くスペースがありません。どうしても使いたい場合はジムに行きますが、ジムに月会費を払うくらいなら、無料で走ったほうがいいという人が多いようです。また、日本の多くの地域では一年を通して温暖な気候なので、この運動方法を継続しやすいということもあります。

Question 3

What do you think a healthy diet is?

It's hard to keep track of what sort of diet is considered good and what sort is considered bad, but it's generally agreed that a healthy diet should incorporate all the major food groups, such as protein, carbohydrate, and fat. It's essential that people have a balanced diet.

＊keep track of:把握する

健康的な食事とは何だと思いますか？
何が良くて何が悪いかを把握するのは難しいですが、一般的に健康的な食事は、タンパク質、炭水化物、脂質といった主要な食品群をすべて取り入れるべきとされています。バランスの取れた食生活を送ることが重要なのです。

Question 4

Why do some people become vegetarian?

Some individuals adopt vegetarianism for various reasons. They prioritize nutrition by incorporating plant-based ingredients to steer clear of processed foods. By cutting down on harmful substances, they aim to prevent obesity and chronic diseases. It's a well-balanced diet choice that supports physical and mental well-being. For instance, my friend Lily became a vegetarian after her father developed heart disease. Witnessing his struggle inspired her to make healthier choices for herself and her family. She started experimenting with plant-based recipes, and soon enough, her entire household embraced the vegetarian lifestyle.

なぜベジタリアンになる人がいるのでしょうか？
様々な理由でベジタリアンになる人がいます。加工食品を避け、植物性の食材を取り入れることで栄養を第一に考えているからというのもありますし、有害物質を減らすことで、肥満や慢性疾患の予防をめざしているからというのもあります。バランスの取れた食事は、心身の健康をサポートします。例えば、私の友人のリリーは、父親が心臓病を発症してからベジタリアンになりました。父親の闘病生活を目の当たりにして、自分自身と家族のために健康的な選択をするようになりました。彼女は植物ベースのレシピを試し始め、やがて家族全員がベジタリアンのライフスタイルを受け入れるようになりました。

Question 5

What are the factors that influence people's health in today's society?

Faster and cheaper access to unhealthy food has definitely influenced people's health in today's society. Our diet has become full of processed food, and people eat fast food a couple of times a week on average. Another major cause is our sedentary lifestyle – people nowadays commute to work by car or train, sit at a desk all day, and take less physical exercise. The human body is designed to move, especially to walk, every day and has not yet adapted to the modern lifestyle of sitting all the time; some studies suggest that sitting for 3 hours straight is as unhealthy as smoking. The fact that technology has made life more convenient has ironically led to an increase in the number of obesity and lifestyle-related diseases.

＊cause:原因

＊lead to: 〜を引き起こす

現代社会において、人々の健康に影響を与える要因とは何でしょうか？

不健康な食品をより早く、より安く手に入れることができるようになったことは、現代社会の人々の健康に確実に影響を与えています。私たちの食生活は加工食品ばかりになり、人々は平均して週に2、3回はファストフードを食べています。また、車や電車で通勤し、一日中デスクに座りっぱなしで、運動不足になっていることも大きな原因でしょう。人間の体は日常的に動くこと、特に歩くことを前提に設計されており、ずっと座っている現代のライフスタイルにはまだ適応していません。3時間座り続けることは、喫煙と同じくらい不健康だという研究結果もあるそうです。テクノロジーによって生活が便利になったことが、皮肉にも肥満や生活習慣病の増加を招いているのです。

Question 6

How can people encourage young people to stay healthy?

Education can encourage young people to stay healthy. Young people have not lived long enough to see the negative effects of leading an unhealthy lifestyle. So, warnings about what will happen if they continue to be unhealthy don't really resonate with them. Instead of threatening them with what will happen if they don't adopt a better lifestyle, I believe that encouraging fun and rewarding healthy practices will help young people

stay on the right path. For example, a program to grow vegetables in schools would be an excellent idea.

＊resonate:心に響く

＊stay on the right path:正しい道を歩む

若者の健康維持のために、人々はどのような働きかけができるでしょうか？

教育によって、若者の健康維持を促すことができます。若い人たちは、不健康なライフスタイルを送ることの弊害を知るほど長くは生きていないのです。だから、「このままだと大変なことになりますよ」という警告は、あまり心に響かないのです。「どうなるんだ」と脅すのではなく、楽しく、やりがいのある健康法を推奨することが、若い人たちが正しい道を歩むことにつながると考えています。例えば、学校で野菜を栽培するプログラムなどは、とても良いアイデアだと思います。

[教育]

教育システム

higher education
compulsory
arts
STEM subject
extra-curricular activity
tuition
boundary
foundation
vocational

graduate
alumni
grade
performance
capability
home schooling
gap year
remote learning
independent learning
workshop
transcript

学習に対する姿勢

mentor
teach oneself

recite
keep up with one's studies
pursue one's studies
accomplish
fall behind
drop out
learn by heart
apply knowledge
comprehend
attend
set aside some time for

well-behaved
misbehave
permissive
lenient
indulgent
rigorous
play truant
develop self-control
engage
motivate
feel left out
devote
interest
harness the potential

指導法

教育システム

educate
evaluate
discipline
foster
cultivate
nurture
enrich
intensive
intense

感情

expectations
self-esteem
set an example
role model
deliver
organize
assign
admit

yell
corporal punishment

指導法

[教育] ❶

51

単語	日本語訳	言い換え・関連語
□□□ **expectations** [èkspektéiʃənz] 名 可 ▶ 反 doubt 動 expect	期待	prospect, hope
□□□ **boundary** [báundəri] 名 可	限界、範囲	border, borderline
□□□ **self-esteem** [sélf istíːm] 名 不 ▶ 反 humility	自信、自尊心	confidence, self-respect
□□□ **tuition** [tjuíʃən] 名 不	授業料	-
□□□ **foundation** [faundéiʃən] 名 可 ▶ 動 found	基礎、土台	base, the basics
□□□ **workshop** [wəːrkʃɑp] 名 可	セミナー、講習会	seminar
□□□ **graduate** [grǽdʒuːèit] 名 可 ▶ 動 graduate 名 graduation	卒業生	-
□□□ **alumni** [əlʌmnai] 名 可	同窓生、卒業生、OB/OG	-
□□□ **arts** [ɑrts] 名 不	文科、人文学	-
□□□ **grade** [gréid] 名 可	学年、評価、成績	performance

	例文の日本語訳	例文	備考
	彼は私たちの期待をはるかに超えていました。	**He had surpassed all our expectations.**	予測の中でも、ポジティブなものに使う。この意味では、通常複数形で使われる。
	科学者たちは、人類の知識の限界を押し広げ続けています。	**Scientists continue to push back the boundaries of human knowledge.**	知識の限界を表したいときは、例文のように複数形で使うことが多い。
	彼女の自尊心は低い。	**Her self-esteem is low.**	
	彼は学費を野球の奨学金で賄った。	**He funded his tuition with a baseball scholarship.**	"tuition fee"のように、feeを付けることもある。
	中学校では、英語の基礎をしっかり固める必要があります。	**The students in middle schools should build up a solid foundation in English.**	
	コミュニケーションスキルの講習会が、最近人気です。	**Workshops on communication skills have become popular.**	通常、数時間で終わる短期のものを指す。
	私は大卒の21歳で医科大学院を目指しているところです。	**I am a 21-year-old college graduate, aiming for medical school.**	このままで「卒業する」という動詞としても使われる。名詞の場合「卒業」という意味ではないので注意。
	大学の同窓生ネットワークは、新卒者への支援に重要な役割を果たしています。	**The university's alumni network plays a crucial role in providing support to recent graduates.**	alumnusの複数形。複数形で使われることが多い。発音に注意。
	大学にて文学士号を取得しました。	**He got a bachelor of arts degree at a university.**	この意味では、通常複数形で使われる。
	彼は音楽の試験で最高評価を獲得しています。	**He has attained the highest grade in his music exams.**	日本で知られているのは「学年」だが、通知表の評価にあたるものもgradeと言われる。

［教育］❷

52

単語	日本語訳	言い換え・関連語
□□□ **performance** [pərfɔ́rməns] 名 可	成績	**grade**
□□□ **capability** [kèipəbíləti] 名 可/不 ▶ 形 capable	能力	**skill, talent**
□□□ **mentor** [méntɔr] 名 可	メンター（日本語でいうと「師匠」が一番近い）	**adviser, coach**
□□□ **transcript** [trǽnskript] 名 可	成績証明書	-
□□□ **educate** [édʒukèit] 他 動 ▶ 名 education	教育をほどこす	**cultivate**
□□□ **evaluate** [ivǽljuèit] 他 動 ▶ 名 evaluation	評価する	**assess**
□□□ **discipline** [dísəplin] 他 動 ▶ 形 disciplinary	訓練する、躾ける	-
□□□ **misbehave** [mìsbihéiv] 自 動 ▶ 形 be well behaved	無作法にふるまう、悪さをする	**behave badly**
□□□ **foster** [fɔstər] 他 動 ▶ 反 discourage	育成する、促進する	**nurture, culti-vate**

	例文の日本語訳	例文	備考
	家庭教師をつけてから、彼女の数学の成績は向上しました。	**Her performance in math improved after she got a tutor.**	
	部署全体をまとめるのは、彼の能力では無理でした。	**Organizing a whole department was beyond his capability.**	一般的な意味では不可算、具体的な意味では可算。
	私は、他の人のお手本やメンターとして行動することを心がけてきました。	**I've been trying to act as a role model and a mentor to others.**	
	大学の奨学金制度に応募するために、成績証明書を請求しました。	**I requested my transcript to apply for the university scholarship program.**	
	多くの親が家庭教育を選択しています。	**Many parents choose to educate their children at home.**	学問の教育だけではなく何か知恵を授けるという意味で広く使われる単語。
	先生は課題や試験を通して生徒の進歩を評価します。	**Teachers evaluate students' progress through assignments and exams.**	
	試験前には毎晩勉強するように自分を律しました。	**I disciplined myself to study every night before the exams.**	
	子どもはよく、注目を集めるために悪さをします。	**Children often misbehave in order to get attention.**	
	彼女はアートのプロジェクトを通じて生徒たちの創造性を育成することに努めました。	**She worked to foster creativity in her students through art projects.**	

53

単語	日本語訳	言い換え・関連語
□□□ **nurture** [nəːrtʃər] 他動 ▶ 反 discourage	育成する、養う	**foster, cultivate**
□□□ **cultivate** [kʌltəvèit] 他動 ▶ 反 discourage	育成する、養う	**foster, nurture**
□□□ **enrich** [inrítʃ] 他動 ▶ 名 enrichment	豊かにする、豊富にする	**enhance**
□□□ **comprehend** [kɑmprihénd] 他動 ▶ 名 comprehension	理解する	**understand**
□□□ **deliver** [dilívər] 他動	実現する、(授業などを)行う	**carry out, perform, accomplish**
□□□ **accomplish** [əkɑmpliʃ] 他動 ▶ 名 accomplishment	実現する	**achieve, deliver**
□□□ **organize** [ɔrgənàiz] 他動 ▶ 名 organization	(リーダーとして)まとめる、整理する、企画する	**coordinate**
□□□ **recite** [risáit] 他動	暗唱する	-

例文の日本語訳	例文	備考
子どもの才能をのばす上で、親は重要な役割を果たします。	Parents play a key role in nurturing their children's talents.	
先生は生徒を毎週図書館に連れて行き、読書への関心を高めました。	The teacher cultivated a love of reading by taking her students to the library weekly.	
遠足や体験型学習により、生徒に実社会での経験をさせ、教育を充実させることができます。	Field trips and hands-on projects can enrich education by providing students with real-world experiences.	
彼は彼女が言ったことが何も理解できなかっただけでした。	He just couldn't comprehend anything she told him.	
きっと、彼女が約束していたことを実現してくれると思っていました。	I was sure that she was going to deliver what she had promised.	「配達する」という意味で通常知られているが、この意味でもよく使われる。
彼女は自分のビジネスを始めるという夢を達成することができました。	She was able to accomplish her dream of starting her own business.	
彼は地域の清掃活動を企画し、地域社会への参加を促しました。	He organized a neighborhood cleanup to promote community involvement.	
学校の劇では、彼はシェークスピアのセリフを暗唱しなければいけませんでした。	In the school play, he had to recite lines from Shakespeare.	

[教育] ❹

54

単語	日本語訳	言い換え・関連語
□□□ **engage** [engéidʒ] 他動 ▶ 形 engaging 名 engagement	巻き込む、興味を引く	**attract, interest**
□□□ **yell** [jél] 自動	どなる、大声をあげる	**scold, tell off** ※大声をあげるとは限らない「叱る」だけの意味
□□□ **motivate** [móutəvèit] 他動 ▶ 名 motivation	モチベーションを上げる、やる気にさせる	**encourage, inspire**
□□□ **assign** [əsáin] 他動 ▶ 名 assignment	割り当てる、任命する、～をさせる	**designate**
□□□ **devote** [divóut] 他動 ▶ 名 devotion	専念させる	**dedicate, commit**
□□□ **admit** [ədmít] 他動 ▶ 名 admission	入学・入園・入会させる	**accept**
□□□ **interest** [íntərəst] 他動 ▶ 形 interesting 名 interest	興味を持たせる	**engage, attract**
□□□ **attend** [əténd] 他動 ▶ 名 attendance	出席する	**be present at**
□□□ **vocational** [voukéiʃənəl] 形 ▶ 名 vocation	職業の	-

	例文の日本語訳	例文	備考
	先生はクラス全体を巻き込み、気候変動についての活発な議論を行わせました。	**The teacher engaged the entire class in a lively debate about climate change.**	
	子どもたちが言うことを聞かないので、パートナーは苛立ちから怒鳴りました。	**My partner yelled out of frustration when the kids wouldn't listen.**	
	先生は、クラスの子どもたちのモチベーションを上げるために、競争を利用しているのだと思います。	**I think teachers use competitions to motivate the children in their classes.**	自分で「やる気になる」場合はmotivate oneselfとするか、be motivatedのように受動態にする。
	地元の歴史に関するプロジェクトが生徒に課されました。	**A project on local history was assigned to the students.**	例文のように受動態の形で使われることも多い。
	彼は、文学に専念することを決意しました。	**He resolved to devote himself to literature.**	自分で「専念する」場合はdevote oneselfとするか、be devotedのように受動態にする。
	彼は、4月6日にその高校に入学しました。	**He was admitted to the high school on the sixth of April.**	自分で「入学する」場合はbe admittedのように受動態にする。
	母は政治にまったく興味がないようでした。	**Politics did not seem to interest my mom at all.**	自分で「興味がある」場合はbe interestedのように受動態にする（こちらの用法のほうがよく知られている）。
	彼女は来期からフルタイムで大学に通うことになります。	**She will attend college full-time in the coming session.**	
	彼女は大工技術を学ぶために職業訓練学校に入学しました。	**She enrolled in a vocational school to learn carpentry skills.**	

［教育］❺

55

単語	日本語訳	言い換え・関連語
□□□ **indulgent** [indʌldʒənt] 形 ▶ 名 indulgence 反 harsh, strict	甘い、寛大な	lenient, permissive
□□□ **lenient** [líniənt] 形 ▶ 名 lenience 反 harsh, strict	甘い、寛大な	indulgent, permissive
□□□ **permissive** [pərmísiv] 形 ▶ 名 permissiveness 反 harsh, strict	甘い、寛大な	indulgent, lenient
□□□ **rigorous** [rígərəs] 形 ▶ 副 rigorously 反 lenient, indulgent, permissive	厳しい、厳格な	harsh, strict
□□□ **well-behaved** [wél bihéivd] 形 ▶ 反 badly behaved	行儀が良い	polite
□□□ **compulsory** [kəmpʌlsəri] 形 ▶ 反 optional	義務的な、必修の	mandatory
□□□ **intensive** [inténsiv] 形 ▶ 反 relaxed	集中した、集中的な	in-depth, thorough
□□□ **intense** [inténs] 形 ▶ 動 intensify	激しい、ハードな	severe

	例文の日本語訳	例文	備考
	彼の母親は甘かったので、彼がやりたいことは何でもやらせました。	His mother was indulgent and she let him do anything he wanted.	
	日本の法制度は初犯者に甘いという意見もあります。	Some argue that our legal system is lenient when sentencing first-time offenders.	
	片方の親がもう片方の親より寛容だと、子どもは行動の限界を認識しづらくなります。	If one parent is more permissive than the other, the child has a hard time recognizing behavioral limits.	
	トレーニングプログラムは厳しく、肉体的にも精神的にも限界まで追い込まれるものでした。	The training program was rigorous and pushed us to our physical and mental limits.	
	友人の娘さんは、お行儀の良いお嬢さんのような反応でした。	My friend's daughter responded like a well-behaved little girl.	
	6歳から15歳までの子どもには、初等教育が無料で義務づけられています。	Primary education is free and compulsory for children from 6 to 15 years old.	
	私の職場では、新入社員には集中研修が行われます。	New employees at my work are sent on an intensive training course.	
	月曜日から金曜日まで、5日間にわたるハードなスケジュールでした。	Our work schedule encompassed five intense days, Monday through Friday.	

[教育　熟語] ❶

56

単語	日本語訳	言い換え・関連語
□□□ **independent learning** [indipéndənt lə:rniŋ] 名 不	主体的な学習	autonomous learning, independent studies
□□□ **extra-curricular activity** [ékstrə kəríkjulər æktívəti] 名 可	課外活動	after-school programs
□□□ **remote learning** [rimóut lə:rniŋ] 名 不	遠隔授業、オンラインレッスン	distance learning, distance education
□□□ **STEM subject** [stém sʌbdʒikt] 名 可	STEM科目	-
□□□ **higher education** [háiər èdʒukéiʃən] 名 不	高等教育機関（大学や専門学校など、高校を卒業した後に行く教育機関）	college, university
□□□ **home schooling** [hóum skú:liŋ] 名 不	家庭教育、ホームスクール	home education
□□□ **gap year** [gǽp jiər] 名 可	ギャップ・イヤー（高校卒業から大学入学までのモラトリアム期間）	year out, time out

	例文の日本語訳	例文	備考
	主体的な学習には、「まとめ力」がとても重要です。	**The ability to summarize is very important in independent learning.**	
	良い学校であればあるほど、生徒もスタッフも課外活動に深く関わっています。	**The better the school, the more deeply involved in extra-curricular activities are both pupils and staff.**	
	パンデミック時には、多くの国で何らかの形で遠隔授業が実施されました。	**Many countries implemented some form of remote learning during the pandemic.**	
	性に関する固定観念により、女の子たちはSTEM科目を学校で履修することをあきらめがちです。	**Gender stereotyping is still discouraging girls from taking STEM subjects at school.**	科学(Science)、技術(Technology)、工学(Engineering)、数学(Mathematics)の4つの教育分野を総称した言葉。少しニュアンスは違うものの、日本語でいう「理系」と考えて良い。
	政府は、25年以内に高等教育機関の学生数を倍増させることを目標としています。	**The government aims to double the number of students in higher education within 25 years.**	
	日本では、家庭教育は正式には認められていません。	**In Japan, home schooling is not formally permitted.**	「homeschooling」と、間を空けない表記になることもある。家庭教育は日本では耳慣れないが、英語圏では割とよくあり、IELTSのテーマとしても取り上げられる。
	彼女はギャップ・イヤーを利用してヒッチハイクで世界中を旅していました。	**She spent her gap year hitchhiking around the world.**	日本では大学在学中に、留学などをするケースが多いが、英語圏では大学入学前にそういった期間を取ることが多い。

［教育　熟語］❷

57

単語	日本語訳	言い換え・関連語
□□□ **corporal punishment** [kɔrpərəl pʌniʃmənt] 名 不	体罰	**physical discipline**
□□□ **role model** [róul madəl] 名 可	お手本、ロールモデル	**good example**
□□□ **set an example** [sét ən igzǽmpl] 動	お手本を示す	**be a role model**
□□□ **harness the potential** [harnəs ðə paténʃəl] 動	才能を引き出す、活かす	-
□□□ **apply knowledge** [əplái nalidʒ] 動	知識を活用する	-
□□□ **develop self-control** [divéləp sélfkəntróul] 動	自制心を養う	**improve/ increase self-control**
□□□ **drop out** [drap áut] 動 ▶ 反 **be engaged**	中退する	**quit, give up, leave**
□□□ **fall behind** [fɔl biháind] 動 ▶ 反 **advance**	（学業などで）遅れをとる	**struggle**

	例文の日本語訳	例文	備考
	1987年、英国の公立学校では体罰が非合法化されました。	Corporal punishment was outlawed in state schools in the UK in 1987.	
	妹のお手本になるような存在になりたいです。	I want to be a role model for my sister.	
	親は子どもの手本となるべきものです。	Parents should set an example for their children.	
	この会社は、若い才能を引き出し、将来の指導的役割につなげることを目指しています。	The company aims to harness the potential of talented young people for future leadership roles.	
	生徒たちは、持っている知識や技能を活用できませんでした。	The students failed to apply their knowledge and skills.	
	マインドフルネスと瞑想を実践すれば、自制心を養うことができます。	Practicing mindfulness and meditation can help individuals develop self-control.	
	高校を中退した10代の若者は、仕事を見つけるのが難しい傾向にあります。	Teenagers who drop out of high school usually have trouble finding jobs.	
	数学で遅れをとった息子を助けるために私が指導を始めました。	I started tutoring to help my son who had fallen behind in math.	「tutor」はここでは家庭教師をするという意味の動詞。

［教育　熟語］❸

58

単語	日本語訳	言い換え・関連語	
□□□ **pursue one's studies** [pərsúː stʌdi] 動	学習や研究を進める	continue school	
□□□ **set aside some time for~** [sét əsáid səm táim] 動	～のための時間を確保する	-	
□□□ **feel left out** [fíːl léft áut] 動	仲間外れをされているように感じる、取り残されているように感じる	feel neglected/ excluded/ forgotten	
□□□ **teach oneself** [tíːtʃ] 動 ▶ 形 self-taught	独学をする	self-study	
□□□ **keep up with one's studies** [kíːp ʌp wíð stʌdi] 動	学校の勉強についていく	to manage to remain up, to date with one's studies	
□□□ **learn by heart** [lərn bái hɑrt] 動 ▶ 反 forget	暗記する	memorize	
□□□ **play truant** [pléi trúːənt] 動 ▶ 反 attend school	学校をずる休みする、サボる	to be absent from school without permission	

例文の日本語訳	例文	備考
さらに研究を進めて、最終的には博士号を取得したいと思っています。	**I would like to pursue my studies and eventually get a Ph.D.**	この意味では「study」は通常複数形。
毎日、運動する時間を確保するようにしています。	**I'm trying to set aside some time each day for exercise.**	
勉強会に誘われなかったとき、彼女は取り残されたように感じました。	**She felt left out when she wasn't invited to join the study group.**	
彼はオンラインコースと教科書を使って独学で代数を学びました。	**He taught himself algebra using online courses and textbooks.**	
毎晩、レストランで働かなければならないので、勉強についていくのは大変でした。	**It was hard to keep up with my studies when I had to work at the restaurant every evening.**	この意味では「study」は通常複数形。
できるだけ多くの英文を暗記することが良い練習になりました。	**It was good practice to learn as many English texts by heart as possible.**	
たいていの親は自分の子どもが学校をサボっていることを知るとショックを受けます。	**Most parents are shocked to find out their children have been playing truant from school.**	

練習問題

Question 1

What did you like about your secondary/high school?

I liked the teachers there, especially the math teacher. He had a significant influence on my education because he laid a solid foundation for me in mathematics.

通っていた中学校・高校の、どの点が気に入っていましたか？
私はそこの先生方が好きでした。特に数学の先生です。先生は、数学の基礎をしっかり築いてくれたので、私の教育に大きな影響を与えました。

Question 2

Do you think it's better to have a teacher or to teach yourself?

Both learning styles have their upsides and downsides, so it's a matter of preference. Personally, I prefer to pick up a book and teach myself. It gives me a sense of accomplishment. I think it's a waste of time to have a teacher teach you things that are already in a book or a website.

＊upside/downside:利点/欠点

＊a matter of: ～（するだけの）の問題

＊a sense of: ～の感覚

先生に習うのと独学ではどちらがいいと思いますか？
どちらの学習スタイルにも一長一短があり、好みの問題です。個人的には、本を使って独学するのが好きです。達成感もありますし。本やホームページに書いてあることを先生に教えてもらうのは、時間の無駄だと思うんです。

Question 3

What makes a good lesson?

I think a good lesson is an interesting and engaging lesson. What I mean by "engaging" is that the student should feel involved in the lesson and learn something new and relevant to them. In my opinion, a lot depends on how the teacher delivers the lesson.

＊feel involved:参加していると感じる

＊relevant to: ～に関係がある

良いレッスンとは、どのようなものですか？
私は、良い授業とは、興味深く、魅力的な授業だと思います。「魅力的」というのは、生徒がレッスンに参加していると感じ、何か新しいことや自分に関係のあることを学べることです。私の考えでは、教師がどのようにレッスンを行うかによって、多くのことが決まると思います。

Question 4

Why do some parents prefer to educate their children at home rather than send them to school?

Some parents opt for home schooling over traditional schooling due to various reasons. They may have higher expectations for their children's education and want to set boundaries that align with their family values. Home schooling allows for a personalized approach, which can foster self-esteem and nurture individual capabilities. For instance, my neighbor chose homeschooling for her son because he fell behind in a traditional classroom setting. With extra help and attention, he felt much better about himself and earned high grades.

なぜ、子どもを学校に行かせず、家庭で教育することを好む親がいるのでしょうか？

様々な理由から、伝統的な学校教育よりも家庭教育を選ぶ親がいます。子どもの教育に大きな期待を寄せていたり、家族の価値観に沿った教育基準を設けたいと考えていたりします。家庭教育では、一人ひとりに合わせたアプローチができるため、自尊心を育み、個々の能力を伸ばすことができます。例えば、私の近所の女性は、息子さんが従来の学校で遅れをとったため、家庭教育を選びました。特別な支援と配慮を受けた息子さんは、自己肯定感が高まり、成績も上がりました。

Question 5

What is the difference between how children are educated now and how they were taught half a century ago?

There have been significant changes in the style of teaching and the way children are treated. Nowadays, children are expected to think and act on their own, to have independent learning and to develop abilities such as creativity and self-expression. There are systems in place to support children who are falling behind. There are group projects for students who need extra help with reading or spelling. Schools were strict 50 years ago, and if you didn't do exactly what you were told, you were in trouble and were probably beaten or at least yelled at. Another factor is that back then, classes were very rigid. That is, teachers did not ask students for their opinions, nor did they engage in games or fun activities. For example, my cousin struggled with reading in elementary school. Thanks to the school's support system, he joined a group project focused on improving literacy skills. Through collaborative activities and personalized attention, he made significant progress, boosting his confidence and academic performance.

＊rigid:厳しい

今の子どもたちの教育方法と、半世紀前の教育方法との違いは何でしょうか？

教育のスタイルや子どもへの接し方が大きく変わりました。現在では、子どもたちは自分で考え行動し、自立した学習を行い、創造力や自己表現力などのスキルを身につけることが期待されています。遅れをとっている子どもたちをサポートするシステムも整っています。読解やスペリングで特別な助けが必要な生徒のためのグループプロジェクトもあります。50年前の学校は厳しく、言われたことを正確に行わないと問題になり、おそらく殴られるか、少なくとも怒鳴られたでしょう。もうひとつは、当時は授業がとても厳しかったということです。つまり、先生は生徒の意見を聞くこともなく、ゲームや楽しい活動もしませんでした。例えば、私のいとこは小学校の頃、読解力に苦しんでいました。学校の支援制度のおかげで、彼は読み書きのスキルを向上させることに焦点を当てたグループ・プロジェクトに参加しました。共同作業と一人ひとりに合わせたケアを通じ、彼は大きな進歩を遂げ、自信と成績を向上させることができました。

Question 6

Should higher education be paid for entirely by the government?

I believe that university should be completely free for those who excel in their academic performance. In other words, if you take the exams and have outstanding grades, I think the government should support you and pay for your tuition. This is because such students can think and act independently and contribute to their companies, society, and the country. Other students may have failed to develop proper study habits and may end up wasting time and not pursuing their studies when they go on to higher education.

＊excel: 優れる

＊contribute to:貢献する

＊establish (a) habit(s):習慣をつける

＊end up Ving:結局Vする

高等教育は全額、国が払うべきですか？

私は、学業成績が優秀な人には、大学を完全に無償化するべきだと思います。受験して成績が優秀であれば、政府が支援し、学費を負担すべきだと思います。なぜなら、そのような学生は、自ら考え行動し、会社や社会、国に貢献することができるからです。それ以外の学生は、自分の勉強の習慣が確立されていないので、進学しても時間を無駄にして勉強に没頭しないまま終わってしまうかもしれません。

[言語]

言語とボキャブラリー

term
collocation
slang
jargon
local language
native
spoken
colloquial
conversational
grammatical structure
word order

multilingual
polyglot

rustic

発音

enunciation
tongue
articulate
produce a sound
tone

utter
mock

refine
work on one's accent
expand one's vocabulary

get by
make oneself understood
have a good command of
brush up on
make out
keep up with

言語学習

言語とボキャブラリー

cross-cultural
language barrier

fluent
proficient
concise
ambiguous
intelligible
linguistic
eloquent
expressive
express
enhance
expose
talkative
broken
put into words
metaphorically speaking

paraphrase
reiterate
quote
cite

コミュニケーションと表現

acquire
master
imitate
familiarize
immerse
integrate
struggle
differ
difficulty

language exchange
discourse

accurate
precise
contextual

interpret
infer

言語学習

[言語] ❶

■◀)) 59

単語	日本語訳	言い換え・関連語
□□□ **enunciation** [inʌnsièiʃən] 名 不 ▶ 動 enunciate	(はっきりとした)発音	-
□□□ **tongue** [tʌŋ] 名 可	言語	language
□□□ **term** [təːrm] 名 可	用語	word, terminology
□□□ **collocation** [kɑləkéiʃən] 名 可	連語、コロケーション	-
□□□ **slang** [slæŋ] 名 不 ▶ 形 slangy 反 formal language	スラング	informal language
□□□ **jargon** [dʒɑrgən] 名 可/不 ▶ 反 plain language	専門用語、隠語	term, terminology
□□□ **tone** [tóun] 名 可	口調	-
□□□ **discourse** [dískɔːrs] 名 可/不	会話、話法、議論	conversation
□□□ **difficulty** [dífikʌlti] 名 不 ▶ 形 difficult	難しさ、困難	trouble, problem

	例文の日本語訳	例文	備考
	音をはっきり発音することはとても重要です。	**Clear enunciation of sounds is very important.**	pronunciationとの違いは、「はっきりと」「クリアな」というニュアンスが入っていること。
	彼女は自分の母国語の方が話しやすいと思ったのでしょう。	**She felt more comfortable talking in her native tongue.**	スペル、発音に注意。
	「精神疾患」という語を定義するのは難しいです。	**The term “mental illness” is difficult to define.**	
	「committing a crime」は英語の典型的なコロケーションです。	**“Committing a crime” is a typical collocation in English.**	
	彼はスラングを使いすぎて、祖父母が理解できないほどだったようです。	**He used so much slang that his grandparents couldn't understand him.**	
	専門用語を使わず、シンプルにまとめました。	**I kept it simple and avoided using jargon.**	一般的な意味では不可算、具体的な意味では可算。
	彼女の口調はとても辛辣で、その場が一瞬で静まり返ってしまうほどでした。	**Her tone was so harsh that it silenced the room instantly.**	話す時だけではなく、「書き口調」に関しても使うことができる。
	SNSでは、怒りや攻撃的な声が議論を支配しているように感じられることがよくあります。	**On social media, it often seems that angry and aggressive voices dominate the discourse.**	
	英文法には大変苦労しました。	**I had great difficulty with English grammar.**	あとに名詞を置く時はwith, 動名詞を置く時はinもしくは前置詞は使わないのが一般的。

[言語] ❷

60

単語	日本語訳	言い換え・関連語
□□□ **polyglot** [pɑliglɑt] 名 可 ▶ 反 monolingual	多言語話者	multilingual
□□□ **multilingual** [mʌltilíŋgwəl] 名 可 ▶ 形 multilingual 反 monolingual	多言語話者	polyglot
□□□ **master** [mǽstər] 他 動 ▶ 名 mastery	習得する	pick up, acquire
□□□ **acquire** [əkwáiər] 他 動 ▶ 名 acquisition	(言語やスキルを)身につける、習得する	master, pick up
□□□ **cite** [sait] 他 動 ▶ 名 citation	引用する	quote
□□□ **familiarize** [fəmíljəràiz] 他 動 ▶ 名 familiarization	親しませる、習熟させる、慣れさせる	accustom
□□□ **quote** [kwóut] 他 動 ▶ 名 quotation	引用する	cite
□□□ **immerse** [iməːrs] 他 動 ▶ 名 immersion	没頭させる	engage
□□□ **integrate** [íntəgrèit] 他 動 ▶ 名 integration 反 divide	統合する、組み込む、取り入れる	incorporate, combine

	例文の日本語訳	例文	備考
	彼女は7ヶ国語を操る多言語話者です。	She is a polyglot and speaks seven languages.	
	多言語を話せると、色々な利点があります。	Being a multilingual can bring you several advantages.	
	他の人はどうやって外国語を習得しているのか、知りたかったんです。	I wanted to know how others master foreign languages.	
	一つの言語を身につけるのに、どれくらいの時間がかかるのだろう、と考えました。	I wondered how long it would take to acquire a new language.	
	学術論文では、きちんと出典を引用して敬意を表することが大切です。	In academic papers, it's important to cite sources properly to give credit.	
	コンピューターに慣れるはずだったんです。	I was supposed to familiarize myself with computers.	
	人はよく映画や本の好きなセリフを引用して笑いを分かち合います。	People often quote their favorite lines from movies or books to share a laugh.	
	外国語をマスターする方法のひとつは、その言語に1日中没頭することです。	One way to master a foreign language is by immersing yourself in it 24 hours a day.	immerse oneself=自分を没頭させる=没頭する
	新しい単語を日常会話に取り入れ、ボキャブラリーを増やす努力をしました。	I worked to integrate new words into my daily conversation to improve my vocabulary.	

[言語] ❸

61

単語	日本語訳	言い換え・関連語
□□□ **express** [ikskprés] 他動 ▶ 名 expression	表現する	**convey, communicate**
□□□ **utter** [ʌtər] 他動	口から出す、発する	**verbalize**
□□□ **imitate** [íməteìt] 他動 ▶ 名 imitation	真似する	**copy, mimic**
□□□ **mock** [mɔk] 他動 ▶ 反 respect	真似て馬鹿にする	**mimic**
□□□ **enhance** [enhǽns] 他動 ▶ 反 diminish 名 enhancement	高める、向上させる	**improve, increase**
□□□ **paraphrase** [pǽrəfrèiz] 他動	言い換える	**rephrase**
□□□ **reiterate** [riítərèit] 他動 ▶ 名 reiteration	繰り返して言う	**repeat**
□□□ **infer** [infə:r] 他動 ▶ 名 inference	推測する	**deduce, guess**

	例文の日本語訳	例文	備考
	そのときの気持ちは、言葉では言い表せません。	Words can’t express what I felt then.	
	彼はミーティング中、促されても一言も発しませんでした。	He didn't utter a word during the entire meeting, even when prompted.	
	ネイティブスピーカーの真似をすることで、英語に堪能になることができます。	You can become proficient in English by imitating native English speakers.	
	映画の中で、登場人物たちは上流社会の風変りな部分を真似て馬鹿にしています。	In the movie, the characters mock the eccentricities of high society.	
	語学学習は記憶力を高める可能性があります。	Language learning could enhance your memory.	
	彼がその記事を理解していることを確認するために、彼に言い換えをするように言いました。	I asked him to paraphrase the article to ensure he understood it.	
	先生は授業の終わりに宿題の指示を繰り返していました。	The teacher reiterated the homework instructions at the end of class.	
	物語内の手がかりから、読者は登場人物の動機を推測することができます。	From the clues in the story, readers can infer the character's motives.	

［言語］❹

■◀)) 62

単語	日本語訳	言い換え・関連語
☐☐☐ **interpret** [intə:rprət] 他/自 動 ▶ 名 interpretation	通訳する、解釈する	**translate**
☐☐☐ **expose** [ikspóuz] 他 動 ▶ 名 exposure	触れさせる、経験させる	-
☐☐☐ **struggle** [strʌgl] 自 動	あがく、苦労する	-
☐☐☐ **refine** [rifáin] 他 動 ▶ 名 refinement	磨きをかける、改善する	**improve**
☐☐☐ **differ** [dífər] 自 動 ▶ 形 different	異なる	**vary, disagree**
☐☐☐ **native** [néitiv] 形 ▶ 反 adopted	生まれつきの、生来の	**indigenous, inborn** ※「native speaker」は決まったコロケーションのためnativeをこれらに言い換えることはできない。
☐☐☐ **fluent** [flú:ənt] 形 ▶ 名 fluency 副 fluently	流暢な、すらすらと話せる	**smooth**
☐☐☐ **proficient** [prəfíʃənt] 形 ▶ 名 proficiency 副 proficiently	堪能だ、上手だ	**skilled, competent, talented**

	例文の日本語訳	例文	備考
	彼女は英語があまりできないので、子どもたちが通訳をしていました。	**She couldn't speak much English, so her children had to interpret for her.**	「translate」と意味が似ているので、最後に「e」を付けてしまうスペルミスをしがちなので注意。過去形・過去分詞形は「interpreted」で「e」が出現する。
	子どもの言語能力を十分に伸ばすには、ある一定の期間、その言語に触れている必要があります。	**To fully develop their language skills, children need to be exposed to the language for a certain amount of time.**	
	彼がこうして苦労しているのを見るのは、心が痛みました。	**It hurt to watch him struggle this way.**	
	最終プレゼンの前に、彼は何度もスピーチを練り直しました。	**He refined his speech several times before the final presentation.**	
	フランス語と英語はこの点で異なります。	**French and English differ in this respect.**	
	ネイティブスピーカーのように速く英語を話すことはできません。	**I can't speak English as fast as a native speaker.**	日本語でいう「英語のネイティブ」と言いたいときはnative English speakerと言わなければ意味が十分ではない。
	彼女は8つの外国語を学びましたが、そのうち流暢に話せるのは6つだけです。	**She studied eight foreign languages but is fluent in only six of them.**	
	信頼される教師になるためには、語学に堪能でなければいけません。	**You have to be proficient in language to be a trustworthy teacher.**	

■◀)) 63

単語	日本語訳	言い換え・関連語
□□□ **intelligible** [intélidʒəbl] 形 ▶ 名 intelligibility 副 intelligibly	理解できる、わかりやすい	understandable, comprehensible
□□□ **concise** [kənsáis] 形 ▶ 副 concisely	簡潔な	pithy
□□□ **linguistic** [liŋgwístik] 形	言語の	language
□□□ **spoken** [spóukn] 形 ▶ 反 written	話に使われる、話されている	oral, verbal
□□□ **articulate** [ɑrtíkjəlet] 形 ▶ 動 articulate 名 articulation 反 ambiguous	はっきり言うことができる、弁が立つ、明瞭な	clear
□□□ **eloquent** [éləkwənt] 形 ▶ 名 eloquence 副 eloquently	雄弁な	expressive
□□□ **expressive** [iksprésiv] 形 ▶ 副 expressively	表現に富む	eloquent
□□□ **cross-cultural** [krɔs kʌltʃərəl] 形 ▶ 名 cross-culture	文化を越える、異文化間の	intercultural

	例文の日本語訳	例文	備考
	彼は私たちにわかりやすい説明をしてくれました。	**He gave us an intelligible explanation.**	
	彼のスピーチは簡潔にまとめられていて、わずかの言葉で明確にメッセージを伝えていました。	**His speech was concise, and conveyed the message clearly in just a few words.**	
	特に幼児の言語発達に興味があります。	**I'm particularly interested in the linguistic development of young children.**	
	カナダで仕事をする前に、英会話を完璧にしておく必要があります。	**He needs to perfect his spoken English before going to work in Canada.**	
	彼はとても弁が立ち、いつもはっきりと効果的に自分の意見を述べます。	**He is very articulate and always expresses himself clearly and effectively.**	
	その熱意があったからこそ、彼女は雄弁になったのです。	**Her enthusiasm made her eloquent.**	
	この会社は、表現力を高めるために社員を教育したのです。	**The company trained its employees to be more expressive.**	
	そのワークショップは、ビジネスにおける異文化間コミュニケーションのスキルに焦点を当てたものでした。	**The workshop focused on cross-cultural communication skills for businesses.**	

[言語] ❻

64

単語	日本語訳	言い換え・関連語
□□□ **colloquial** [kəlóukwiəl] 形 ▶ 名 colloquialism	口語の、話し言葉の	conversational, informal
□□□ **talkative** [tɔ́kətiv] 形 ▶ 副 talkatively 反 quiet	話好きな、おしゃべりな	chatty
□□□ **broken** [bróukn] 形 ▶ 反 correct	文法に反した、めちゃくちゃな、カタコトの	imperfect
□□□ **accurate** [ǽkjurət] 形 ▶ 名 accuracy 副 accurately	正確な	correct, precise
□□□ **precise** [prisáis] 形 ▶ 副 precisely	正確な	accurate, correct
□□□ **contextual** [kəntékstʃuəl] 形 ▶ 名 context	文脈上の	context sensitive
□□□ **rustic** [rʌ́stik] 形	田舎っぽい、素朴な	simple
□□□ **ambiguous** [æmbígjuəs] 形 ▶ 名 ambiguity	不明瞭な、あいまいな、複数の意味を持つ	obscure
□□□ **conversational** [kɑnvərséiʃənəl] 形 ▶ 名 conversation	会話の	colloquial

例文の日本語訳	例文	備考
外国語の口語的な慣用句を理解するのは難しいです。	It's hard to understand the colloquial idioms of a foreign language.	
彼女は夜が更けるにつれ、ますます饒舌になりました。	She became more and more talkative as the evening went on.	
イタリア旅行中、カタコトの英語でなんとか道を尋ねました。	I managed to ask for directions in broken English during our trip to Italy.	この意味では、おもに言語に関して使う。
彼の状況説明は、それなりに正確でした。	His description of the scene was reasonably accurate.	
彼女は明確で的確な指示を与えてくれました。	She gave me clear and precise directions.	
私は、文脈の手がかりを探しながら読み続けました。	I continued to read, looking for any contextual cues.	
そのレストランは素朴な内装で居心地の良い雰囲気を醸し出していました。	The restaurant's rustic decor created a cozy atmosphere.	
その小説の結末は曖昧で、読者に主人公の運命を自分なりに解釈させるものでした。	The ending of the novel was ambiguous, and it left readers to interpret the fate of the main character in their own way.	
この語学アプリは会話スキルに重点を置いています。	The language app focuses on conversational skills.	

［言語　熟語］❶

65

単語	日本語訳	言い換え・関連語
□□□ **grammatical structure** ［grəmǽtikəl strʌktʃər］ 名 不	文法構造	grammatical construction
□□□ **local language** ［lóukəl lǽŋgwidʒ］ 名 可	現地の言葉	-
□□□ **language barrier** ［lǽŋgwidʒ bǽriər］ 名 可	言葉の壁	-
□□□ **language exchange** ［lǽŋgwidʒ ikstʃéindʒ］ 名 不	ランゲージ・エクスチェンジ（お互いの言語を習い合う会合のこと）	-
□□□ **word order** ［wə:rd ɔrdər］ 名 不	語順	-
□□□ **get by** ［get bái］ 動	何とかやっていく、切り抜ける	manage
□□□ **make oneself understood** ［méik ʌndərstúd］ 動	自分の言葉が通じる、自分の言いたいことを理解してもらう	make oneself clear
□□□ **make out** ［méik áut］ 動 ▶ 反 misunderstand	理解する	comprehend, understand

例文の日本語訳	例文	備考
それは語彙の学習だけでなく、文法構造の習得にも使われます。	**It's used for learning vocabulary as well as for mastering grammatical structure.**	
旅慣れた私は、少なくとも数語でも現地の言葉を話せることの価値を知っています。	**As a seasoned traveler, I know the value of being able to speak at least a few words of the local language.**	現地に行った時の言葉を「foreign language」と表現してしまう間違いが多いが、この言葉を知っておくと便利。
彼らは言葉の壁もすぐに乗り越えました。	**They soon overcame the language barrier.**	
学校でランゲージ・エクスチェンジのイベントを主催しています。	**I've been hosting language exchange events at school.**	
英語と日本語の基本的な違いのひとつに語順があります。	**One basic difference between English and Japanese is word order.**	
彼は東京に行き、何とかやっていくための日本語を数週間で習得しました。	**He went to Tokyo and learned enough Japanese within a few weeks to get by.**	
フレーズ集の助けを借りて、なんとか自分の言いたいことを理解してもらうことができました。	**I managed to make myself understood with the help of a phrase book.**	
私には彼女が何を言っているのかわかりませんでした。	**I couldn't make out what she meant.**	

[言語　熟語] ❷

66

単語	日本語訳	言い換え・関連語	
□□□ **have a good command of** [hәv ә gúd kәmǽnd әv] 動 ▶ 反 incompetent, incapable	使いこなす	be proficient in	
□□□ **brush up on** [brʌʃ ʌp ɑn] 動	（勉強などを）やり直す、学び直す	relearn	
□□□ **produce (a) sound(s)** [prәdús ә sáund(z)] 動	音を出す、発生する	-	
□□□ **work on one's accent** [wәrk ɑn ǽksent] 動	なまりを改善する	improve one's pronunciation	
□□□ **put into words** [pút íntu wәːrdz] 動 ▶ 反 conceal, hide	口に出す、言い表す	express, verbalize	
□□□ **keep up with** [kíːp ʌp wíð] 動	遅れないようについていく	-	
□□□ **expand one' s vocabulary** 動	語彙を増やす	-	
□□□ **metaphorically speaking** [mètәfɔrikәli spíːkiŋ] 副	たとえて言うなら	figuratively speaking	

	例文の日本語訳	例文	備考
	英語を使いこなすことができれば、雇用主に対して、自分がプロフェッショナルであることを示すことができます。	Having a good command of English shows your employer that you are professional.	
	スペイン語のやり直しをしたかったのです。	I had hoped to brush up on my Spanish.	
	イルカは頭の中の気嚢に空気を通すことで音を出しています。	Dolphins produce sounds by passing air through air sacs in their head.	
	彼女は毎日、映画の台詞を真似て自分の訛りを直しています。	She spends time every day working on her accent by mimicking dialogues from movies.	
	彼女は自分の気持ちを言い表すのが難しいと感じました。	She found it challenging to put her feelings into words.	この場合のfindは「見つける」ではなくfind+O+Cで「OをCだと感じる」という意味でよく使われる。
	早口の人についていけないことがよくあります。	I often struggle to keep up with people who speak fast.	時代の流れなどについていく、という意味でもよく使われる
	さまざまな本を読むことで彼女の語彙は大幅に増えました。	Reading a variety of books helped to significantly expand her vocabulary.	「vocabulary」は1つ1つの単語ではなく、人の頭の中にある単語のストック（グループ）を指す。語彙を増やす＝英語では「語彙ストックのサイズを広げる」というイメージ。
	たとえて言えば、人生の難局を乗り切るのは大海原を航海するようなものです。	Metaphorically speaking, navigating through life's challenges is like sailing the ocean.	

練習問題

Question 1

Does everyone in Japan speak English?

Most people know the basics, but beyond that, they struggle, and not many speak English with any kind of fluency. English lessons in school are only a few hours a week and don't focus on colloquial English. Another reason is the vast difference between the two languages both in terms of grammatical structure and their writing systems.

＊vast difference:大きな差

日本ではみんな英語を話せますか？
ほとんどの人が基本的なことは知っていますが、それ以上になると苦労し、流暢に英語を話せる人は多くありません。学校での英語の授業は週に数時間しかなく、英会話に重点を置いていません。また、2つの言語には文法構造もアルファベットも大きく異なることも理由の一つだと考えられます。

Question 2

What is the best way to learn a language?

I suppose the most effective way is to go and live in a country where the language is spoken as a native language. I have many bilingual friends who improved dramatically by moving to English-speaking countries. Rather than sticking to their own language groups, they fully immersed themselves in English settings at all times.

言語を学ぶために一番良い方法は何ですか？

やはり、その言語が母国語として話されている国に行って、生活するのが一番でしょう。私の友人には、英語圏に住むことで英語を伸ばしたバイリンガルがたくさんいます。彼らは自分の言語のコミュニティに属するのではなく、英語の環境に飛び込み、常に英語に浸っていました。

Question 3

What problems do you have when studying English?

I have difficulty mastering pronunciation. When I hear new terms and phrases, I carefully study how they are pronounced and try to imitate them. I live in Japan now, but in my daily life, I try to have as much time as possible to immerse myself in English by watching TV shows and movies and reading books in English.

英語を勉強する上でどんな問題がありますか？

私は正確な発音を習得することが難しいと思います。新しい用語やフレーズを覚えるときは、その発音の仕方をよく調べて、真似するようにしています。今は日本に住んでいますが、日常生活では、テレビ番組や映画を見たり、英語の本を読んだりして、できるだけ英語に浸る時間を持つようにしています。

Question 4

When would be most suitable for children to learn English?

People can start learning English anytime, whenever they are motivated to. If a person wants to acquire native-like pronunciation, however, they should learn English by the age of 13. Adults often have difficulty in producing English sounds because their tongues and mouths are not well-adapted to the unique sounds of English. On the other hand, they shouldn't start learning the second language too early because I've seen many multilingual children whose mother tongue is not developed enough and who struggle to express their feelings and thoughts in their own language.

子どもの英語学習はいつから始めればいいのでしょうか？
英語はいつからでも、やろうと思えばできます。しかし、ネイティブのような発音を身につけたいのであれば、13歳までに英語を習得することが必要です。大人が英語の音を出すのが難しいのは、英語特有の音を出すための舌や口が十分に発達していないからです。一方、母語が十分に発達しておらず、自分の気持ちや考えを母語で表現するのに苦労しているマルチリンガルの子どもたちをたくさん見てきたので、第二言語の学習はあまり早く始めてはいけないのです。

Question 5

What difficulties do speakers of other languages have when they learn Japanese?

Learners of Japanese often struggle with the language's unique grammatical structure and the precise enunciation required. They must familiarize themselves with various terms, including colloquial slang. Additionally, mastering the differing tones and refining their ability to produce sounds unique to Japanese can pose significant difficulties for speakers of other languages.

他言語の話者が日本語を学ぶとき、どのような苦労があるのでしょうか？
日本語の学習者は、日本語独特の文法構造や正確な発音に苦労することが多いです。口語的なスラングを含む、さまざまな言い回しに慣れなければいけません。さらに、日本語特有の音調をマスターしたり、音を出す能力を磨いたりするのは、他言語話者にとっては非常に難しいことです。

Question 6

Do you think grammar is important when you learn a foreign language? Why?

Grammar is crucial in learning a foreign language as it enhances the ability to construct accurate and precise sentences, making conversation more intelligible. Familiarizing oneself with grammatical structures helps overcome language barriers, enabling clearer expression and understanding in both casual and formal conversations. For instance, a friend of mine improved dramatically after focusing on grammar, quickly becoming proficient in engaging in complex conversations.

外国語を学ぶとき、文法は重要だと思いますか？なぜですか？

文法は、正確かつ的確な文章を構成する能力を高め、会話をより分かりやすくするので、外国語を学ぶ上では非常に重要です。文法構造に慣れることで、言葉の壁を乗り越え、カジュアルな会話でもフォーマルな会話でも、より明確な表現と理解が可能になります。例えば、私の友人は文法に集中することで劇的に上達し、複雑な会話にもすぐに対応できるようになりました。

[場所]

住居と不動産

housing
cottage
landlord
resident
tenant
inhabitant
lease
rent
occupied
venue
flat
apartment
condominium
facility
furnished

industrial area
outskirts
suburbs
residential
unspoiled
hidden gem

interior

district
waterfront
in the middle of nowhere
second to none
high-rise
multi-story

都市生活

a stone's throw away
urban
nightlife
downtown
cosmopolitan
vicinity
lively
accessibility
bustling
dull
nestle
roomy
spacious
stuffy
cozy
run-down
overcrowded
cost of living
a sign of prosperity
densely populated

建物と景観

construct
demolish
scenery
skyscraper
landmark
heritage
iconic building
historic building
freestanding
preserve
staircase
open-air
ancient
do up
off the beaten track

sense of community

transportation
distance
detour
travel

交通と移動

rush hour
traffic jam
pedestrian

建物と景観

67

単語	日本語訳	言い換え・関連語
□□□ **outskirts** [áutskəːrts] 名 不 ▶ 反 city center, downtown	郊外	suburbs
□□□ **suburbs** [sʌbərbs] 名 可 ▶ 反 city center, downtown	郊外	outskirts
□□□ **housing** [háuziŋ] 名 不 ▶ 名 house	住宅、住宅供給	-
□□□ **cottage** [kɑtidʒ] 名 可	別荘、郊外の別宅、コテージ	-
□□□ **landlord** [lǽndlɔrd] 名 可 ▶ 反 tenant, resident	貸主、大家	-
□□□ **resident** [rézidənt] 名 可	居住者	tenant, occupant, inhabitant
□□□ **tenant** [ténənt] 名 可 ▶ 名 tenancy	借主、テナント	resident, inhabitant
□□□ **inhabitant** [inhǽbətənt] 名 可 ▶ 動 inhabit 形 inhabitable	住人	resident, tenant, occupant
□□□ **lease** [líːs] 名 可	借家契約	rental agreement

	例文の日本語訳	例文	備考
	数時間後、ニューヨークの郊外に到着しました。	**Hours later, we reached the outskirts of New York.**	通常、the＋複数形で表現する。
	都心に勤める人も多いですが、そのほとんどが郊外に住んでいます。	**Although many people work in the center of the city, most of them live in the suburbs.**	通常、the＋複数形で表現する。
	劣悪な住宅供給、負債、貧困は相互に関連しています。	**Bad housing, debt, and poverty are interconnected.**	単数扱いの集合名詞。
	古びたコテージを買って、リフォームしたいんです。	**I'd like to buy a run-down cottage that I can do up.**	「別荘」というと豪華なイメージをもってしまうが、少し郊外の小さな山小屋的なものを指すことが多い。
	賃料は貸主と借主の間で個別に交渉されます。	**Rents are individually negotiated between landlords and tenants.**	
	一家は何代にもわたってその地域に住んでいました。	**The family had been residents in that neighborhood for many generations.**	
	借主は借りている場所を適切に管理しなければいけません。	**The tenant must take proper care of the place.**	日本語の「テナント」は商業的なものだけを指すが、英語では借主全般を指す。
	その小さな島の住民は、静かで人里離れた生活を送っています。	**The inhabitants of the small island live a quiet, secluded life.**	
	現在のマンションの賃貸契約は来月で終了します。	**Our present lease on the apartment expires next month.**	

［場所］❷

68

単語	日本語訳	言い換え・関連語	
□□□ **rent** [rént] 名 不 ▶ 形 rental 動 rent	家賃	-	
□□□ **venue** [vénjuː] 名 可	（イベントなどの）開催地	location	
□□□ **flat** [flǽt] 名 可	マンション、アパート	-	
□□□ **apartment** [əpɑrtmənt] 名 可	（賃貸の）マンション、アパート	-	
□□□ **condominium** [kɑndəmíniəm] 名 可	（分譲の）マンション	-	
□□□ **district** [dístrikt] 名 可	地区、エリア	neighborhood, area	
□□□ **waterfront** [wɔtərfrʌnt] 名 可	水辺地帯、海岸（湖岸）通り	-	
□□□ **facility** [fəsíləti] 名 可	施設、設備	-	

	例文の日本語訳	例文	備考
	家賃の値上げで、私たちはもっと生活が苦しくなるのではないかと思います。	The rent increases will leave us worse off.	動詞としての「rent」は「借りる」という意味だが名詞だと「家賃」になる。
	このホールは、結婚式場として人気があります。	The hall is a popular venue for weddings.	イベントなどの開催場所、という狭い意味なので、placeの代わりとはならない。
	私たちは2部屋あるマンションに住んでいました。	We lived in a flat of two rooms.	イギリス英語でおもに使われる。mansionは「豪邸」という意味。
	彼女は同棲相手とそのマンションをシェアしていました。	She shared the apartment with a live-in partner.	アメリカ英語でおもに使われる。apartmentは一区画を指すため、マンション全体を指したい場合は、apartment houseやapartment buildingという。
	彼から電話がかかってくる1カ月ほど前に、私はマンションを売却していたのです。	I had sold my condominium about a month before he called me.	アメリカ英語でおもに使われる。規模の大小ではなく、賃貸物件か購入物件かによって語を使い分ける。米口語ではcondoと略して言われることが多い。一区画を指すのか、建物を指すのかは文脈によって使い分ける。
	彼は、優れた学校で知られるエリアに引っ越しました。	He moved to a district known for its excellent schools.	
	水辺のホテルからは、湖とその向こうに連なる山々の素晴らしい眺めが楽しめます。	The hotel on the waterfront offers stunning views of the lake and mountains beyond.	
	美術館は学習のための施設が充実しています。	The museum offers extensive facilities for study.	

［場所］❸

69

単語	日本語訳	言い換え・関連語
□□□ **accessibility** [æksèsəbíləti] 名 不	利用のしやすさ、アクセスのしやすさ、バリアフリー	ease of access
□□□ **vicinity** [visínəti] 名 可	付近、周辺、近いこと	proximity
□□□ **skyscraper** [skáiskrèipər] 名 可	超高層ビル	high-rise building
□□□ **landmark** [lǽndmàrk] 名 可	（歴史的な）建造物、目印（になるような建物など）	monument
□□□ **rush hour** [rʌʃ áuər] 名 不	ラッシュアワー、ラッシュ	-
□□□ **nightlife** [náitlàif] 名 不	ナイトライフ、夜の街、夜遊び	-
□□□ **downtown** [dáuntáun] 名 不 可 ▶ 反 rural areas, suburbs	繁華街、中心地、ダウンタウン	city center

	例文の日本語訳	例文	備考
	この新しいショッピングセンターは利用しやすいため、家族連れや年配の観光客にも人気があります。	**The new shopping center's accessibility makes it a popular destination for families and elderly visitors alike.**	文脈により色々な意味になる語。英語圏では障がい者に利用しやすい（バリアフリー）という意味で使われることも多い。日本語の「バリアフリー」は和製英語と言える。英語圏で「barrier-free」とは通常言われない。
	ホテル周辺には一流レストランが数軒あります。	**There are several top-rated restaurants in the vicinity of the hotel.**	「in the vicinity of」の形で使われることが多い。
	大都市の空は超高層ビルで埋め尽くされ、急速な都市発展を象徴しています。	**Skyscrapers dominate the skyline in major cities and symbolize the rapid pace of urban development.**	
	現在、この橋を歴史的建造物に指定する取り組みが行われています。	**There are efforts underway to designate the bridge as a historic landmark.**	
	ラッシュアワーの地下鉄では、乗客はイワシのようにぎゅうぎゅう詰めになります。	**On the subway during rush hour, passengers are packed in like sardines.**	日本語のように「ラッシュ」だけで使われることはない。また、英語のrush hourは混んでいる時間帯全般を指し、電車などの公共交通機関だけではなく、交通渋滞などにも使える。
	豊富な公園、湖、夜の街、文化など、この街には誰もが楽しめる要素があります。	**With an abundance of parks, lakes, nightlife, and culture, the city offers something exciting for everyone.**	
	ダウンタウンに行くには、地下鉄が一番早いです。	**The subway is the fastest way to get downtown.**	アメリカ英語でおもに使われる。downtownはhomeなどと同じように、副詞でもあるため、行き先として使った場合、前置詞のtoが省略されるのが普通。

［場所］❹

70

単語	日本語訳	言い換え・関連語
□□□ **staircase** [stέərkèis] 名 可	階段	**stairway, stairs, steps**
□□□ **heritage** [hérətidʒ] 名 不	遺産	**legacy**
□□□ **transportation** [trænspərtéiʃən] 名 不	交通、交通機関	**transport**
□□□ **distance** [dístəns] 名 可/不	距離	**length**
□□□ **scenery** [síːnəri] 名 不	景色、景観	-
□□□ **construct** [kənstrʌkt] 他 動 ▶ 名 **construction** 形 **constructive** 反 **demolish, destroy**	建築する、建てる	**build, make**
□□□ **nestle** [nésl] 自 動	奥まったところに建っている、奥深くにある	-
□□□ **demolish** [dimɑliʃ] 他 動 ▶ 名 **demolition** 反 **build, construct**	取り壊す	**destroy**
□□□ **detour** [díːtuər] 自 動 ▶ 名 **detour**	回り道する、迂回する、遠回りする	**bypass**

例文の日本語訳	例文	備考
古い家には屋根裏部屋へと続く曲がりくねった階段がありました。	**The old house had a winding staircase that led to the attic.**	段の一つひとつでなく、手すりを含めた階段全体を指す。段の一つひとつは、stairやstepという。
その古い建物は国家遺産に指定されています。	**The ancient buildings are part of the national heritage.**	
この街は、公共交通機関を充実させる必要があります。	**The city needs to improve its public transportation.**	イギリス英語ではtransportが使われる。
東京から大阪までの長距離新幹線は、3時間以内に到着するはずです。	**Long-distance bullet trains from Tokyo to Osaka should arrive within three hours.**	一般的な意味では不可算、具体的な意味では可算。
この地域は、景観の良さが際立っています。	**The area is remarkable for its scenery.**	
来年には、川にかかる新しい橋が建築される予定です。	**They plan to construct a new bridge over the river next year.**	buildは小さいものにも使ったり、使用範囲が広かったりするのに比べ、constructは建物など「建築する」という意味が強い。
この村はなだらかな丘に囲まれた奥深くにあります。	**The charming village nestles among rolling hills.**	
この古い家屋はすべて取り壊されることになるでしょう。	**All these old houses are going to be demolished.**	
目的地に着くには、工事現場を迂回しなければいけませんでした。	**We had to detour around the construction site to reach our destination.**	動詞としてはアメリカ英語でおもに使われる。

［場所］❺

71

単語	日本語訳	言い換え・関連語	
□□□ **travel** [trǽvl] 自 動	進む、行く	**move**	
□□□ **preserve** [prizəːrv] 他 動 ▶ 名 **preservation** 反 **destroy, demolish**	保存する	**protect, conserve**	
□□□ **urban** [əːrbn] 形 ▶ 動 **urbanize** 反 **rural, country**	都市の	**city**	
□□□ **freestanding** [fríːstǽndiŋ] 形	自立型の、自立式の	**independent**	
□□□ **spacious** [spéiʃəs] 形 ▶ 反 **compact**	広々とした	**roomy**	
□□□ **roomy** [rúːmi] 形 ▶ 反 **compact, small**	広々とした	**spacious**	
□□□ **ancient** [éinʃənt] 形 ▶ 反 **modern**	古代の、古くからある	**antique, old**	
□□□ **open-air** [óupən er] 形 ▶ 反 **indoor**	屋外の	**outdoor**	

例文の日本語訳	例文	備考
渋滞を避けるため、彼は毎朝電車で仕事に行きます。	He travels to work by train every morning to avoid traffic.	動詞のtravelは必ずしも「旅行する」という意味だけではなく、「A地点からB地点までおもに乗り物で移動する」という意味でもよく使われる。
彼らは街の歴史的建造物を保存するために懸命に努力しています。	They work hard to preserve the historic landmarks in the city.	
孤独は、都市社会の病です。	Loneliness is a disease of urban communities.	
CNタワーは、自立式建築物としては世界一の高さを誇っていましたが、その座を明け渡しました。	CN Tower lost its crown as the world's tallest freestanding structure.	
彼らは丘の上にあるもっと広々とした住居に引っ越しました。	They have moved to a more spacious residence on a hilltop.	
車の小ささを考えると、車内は比較的広いです。	Considering how small the car is, the interior is relatively roomy.	
古くからある仏教寺院は、周囲が丘陵で囲まれています。	The ancient Buddhist temple is ringed around with hills.	
屋外にテーブルを備えた小さな居心地の良いバーがあります。	There is a small, cozy bar with open-air tables.	

[場所] ❻

72

単語	日本語訳	言い換え・関連語
□□□ **cozy** [kóuzi] 形 ▶ 副 cozily 名 coziness	居心地のよい、こぢんまりした、親しみやすい	homey
□□□ **stuffy** [stʌfi] 形 ▶ 名 stuffiness 反 airy, breezy	風通しの悪い、むっとする	unventilated
□□□ **high-rise** [hái ráiz] 形 ▶ 反 low-rise	高層の	multi-story
□□□ **multi-story** [mʌlti stɔri] 形 ▶ 反 low-rise	多層の、多層式の、高層の	high-rise
□□□ **lively** [láivli] 形 ▶ 副 bustlingly 反 dull, quiet	活気がある、にぎやかな	bustling
□□□ **bustling** [bʌsliŋ] 形 ▶ 反 quiet	にぎやかな	lively
□□□ **dull** [dʌl] 形 ▶ 名 dullness 反 lively, bustling, active	活気がない、退屈な	boring, quiet
□□□ **run-down** [rʌn dáun] 形 ▶ 反 lively, bustling, active	荒れ果てた	deserted, abandoned

例文の日本語訳	例文	備考
焚き火を囲んでおしゃべりをしながら、心地よい夜を過ごしました。	We spent a cozy evening chatting by the fire.	「親しみやすい」とはいえ、人の描写には通常使わない。
教室内は暑くて風通しが悪かったです。	It was hot and stuffy in the classroom.	
視界は2棟の不格好な高層マンションに遮られてしまいました。	The view was blocked by two ugly high-rise apartment buildings.	
多層階の建物には耐震性が必要です。	Multi-story buildings need to be earthquake-resistant.	イギリス英語では「storey」というスペルになる。
このホテルは、活気あるにぎやかな港に隣接しています。	The hotel is situated next to a lively, bustling port.	lyで終わっているものの、副詞ではなく形容詞。
フラワーマーケットは多くのお客さんでにぎわっていました。	The flower market was bustling with shoppers.	
この街は、とても退屈な街といえるでしょう。	This city can be extremely dull.	
彼は、荒れ果てた家を買い取り、修理して売ることで財を成しました。	He made a fortune buying run-down houses and fixing them up to sell.	

[場所] ❼

■◀)) 73

単語	日本語訳	言い換え・関連語
☐☐☐ **overcrowded** [òuvəkráudid] 形 ▶ 反 empty	混雑した	packed, jammed
☐☐☐ **cosmopolitan** [kɑzməpɑlətən] 形	国際的な	universal, international
☐☐☐ **unspoiled** [ʌnspɔild] 形 ▶ 反 spoiled	手つかずの	untouched, undamaged
☐☐☐ **occupied** [ɑkjupàid] 形 ▶ 反 unoccupied, vacant, empty	占領された	inhabited
☐☐☐ **furnished** [fəːrniʃt] 形 ▶ 反 unfurnished	家具付きの	-
☐☐☐ **pedestrian** [pədéstriən] 形	歩行者の(車両に対して)	-
☐☐☐ **residential** [rèzədénʃəl] 形 ▶ 名 resident, residence 反 non-residential, commercial	居住用の	-
☐☐☐ **interior** [intíriər] 形 ▶ 反 exterior	屋内の	inside

	例文の日本語訳	例文	備考
	ただでさえ混雑しているバスに人が詰め込まれていきました。	**The people were packed into an already overcrowded bus.**	
	東京は、国際的で文化的な多様性を持つ都市です。	**Tokyo is a cosmopolitan and culturally diverse city.**	
	私は、自然とつながることのできる手つかずの土地を探していました。	**I was looking for an unspoiled area where I could connect with nature.**	
	現在、マンションの全室に居住者がいます。	**All the apartments are occupied now.**	
	そのアパートは家具付きだったので、新しい入居者はすぐに住むことができました。	**The apartment was fully furnished, which allowed new tenants to settle in without delay.**	欧米では「家具付き」の賃貸物件がよくある。
	道路沿いには新しい歩行者用通路が整備されているところです。	**New pedestrian pathways are being built alongside the road.**	
	居住棟は、大学の他の部分と一体化しました。	**The residential blocks were integrated with the rest of the college.**	
	内壁は緑色に塗られていました。	**The interior walls were painted green.**	

［場所　熟語］❶

74

単語	日本語訳	言い換え・関連語	
□□□ **sense of community** [séns əv kəmjúːnəti] 名 可	共同体意識	-	
□□□ **industrial area** [indʌstriəl ɛ́əriə] 名 可	工業地域（地帯）	-	
□□□ **hidden gem** [hídn dʒém] 名 可	穴場（隠された宝石＝人に知られていない価値があるもの）	-	
□□□ **cost of living** [kɔst əv líviŋ] 名 可	生活費	-	
□□□ **iconic building** [aikɔnik bíldiŋ] 名 可	象徴的な建物	-	
□□□ **historic building** [histɔːrik bíldiŋ] 名 可	歴史的建造物	**historic land-mark** ※「目印になるもの」というニュアンスがある。	
□□□ **traffic jam** [trǽfik dʒǽm] 名 可	交通渋滞	**congestion**	
□□□ **a sign of prosperity** [ə sain əv prɑspérəti] 名 可	繁栄の証	-	
□□□ **do up** [du ʌp] 動	修理する、修繕する	**repair, renovate**	

例文の日本語訳	例文	備考
この街には、強いコミュニティ意識があります。	There is a strong sense of community in this town.	
工場は倉庫や製造工場に囲まれた工業地帯にあります。	The factory is located in an industrial area, surrounded by warehouses and manufacturing plants.	
この小さなカフェは街の隠れた名店で、居心地の良い雰囲気で地元の人々に愛されています。	The small coffee shop in the city is a hidden gem and is beloved by locals for its cozy atmosphere.	
生活コストが上がり続けています。	The cost of living continues to rise.	この意味で使うときは、通常theをつける。
著名な建築家がこの象徴的な建物を設計したのです。	A well-known architect designed the iconic building.	
日本では、ほとんどの人が歴史的建造物に関心を持っています。	Most people in Japan care about historic buildings.	
彼らは渋滞を避けて南下しました。	They avoided the traffic jam by heading south.	
高層ビルを建てることは、都市の繁栄の証とされてきたと思います。	Building skyscrapers, I believe, has been considered a sign of prosperity in the cities.	
彼はこの夏古い農家を改装する予定です。	He plans to do up the old farmhouse this summer.	これ意外にも色々な意味がある言葉

［場所　熟語］❷

75

単語	日本語訳	言い換え・関連語	
□□□ **second to none** ［sékənd tú: nʌn］ 形 副 ▶ 反 **worst, low-grade**	何にも劣らない、引けをとらない	**outstanding, exceptional**	
□□□ **in the middle of nowhere** ［in ðə mídl əv nóuhwɛ̀ər］ 形 副	人里離れた	**isolated, remote**	
□□□ **densely populated** ［densli pˈɔpjʊlèɪted］ 形	人口密度が高い	**highly populat-ed**	
□□□ **a stone's throw away** ［ə stouns θróu əwéi］ 形	（何かに）とても近い、目と鼻の先だ	**near**	
□□□ **off the beaten track** ［ɔf ðə bí:tn træk］ 形	（場所などが）よく知られていない、ひとけの少ない		

	例文の日本語訳	例文	備考
	受けられるサービスや結婚式の宿泊施設は、他のどこにも引けをとりません。	**The available services and wedding accommodations are second to none.**	
	この山小屋は人里離れた場所にあり、忙しい都会の生活から逃れられる安らぎを与えてくれます。	**The cabin is located in the middle of nowhere and provides a peaceful escape from busy city life.**	
	私は仕事のために地方から人口密度の高い都市に引っ越しました。	**I moved from a rural area to a densely populated city for work.**	
	彼女の新しいアパートは公園からすぐ目と鼻の先です。	**Her new apartment is just a stone's throw away from the park.**	「石が投げられるくらい」というイメージから来ている表現。
	私たちが泊まったコテージは、完全にひとけがないところにありました。	**The cottage we stayed in was completely off the beaten track.**	

練習問題

Question 1

Do you think your hometown is a good place for young people?

Yes, my hometown is a residential area in Tokyo. Just a 15-minute train ride away, there are plenty of activities for young people, such as shopping, sports, nightlife, restaurants, and cinemas. The list goes on.

＊the list goes on: まだまだ他にもある

あなたの地元は、若者にとって良いところだと思いますか？
はい、私の地元は東京の住宅街です。電車で15分も走れば、ショッピング、スポーツ、ナイトライフ、レストラン、映画館など、若い人たちが楽しめるものがたくさんあります。挙げればきりがないほどです。

Question 2

Do you think your hometown is an easy place to live in?

Yes, my hometown is quite easy to live in. It's nestled in a residential district with ample housing options, from apartments to condominiums. The facilities are modern, and the accessibility to transportation is second to none, making it a convenient place for residents.

あなたの故郷は住みやすいと思いますか？
はい、私の故郷はとても住みやすいです。住宅街に位置し、アパートからマンションまで住宅の選択肢は豊富ですし、施設も最新で、交通の便も申し分なく、住民にとって便利な場所です。

Question 3

What form of transportation do you prefer to use? Why?

I prefer to travel by car because the buses and trains in my city are usually overcrowded during the rush hour; my car is much more comfortable. I used to get annoyed by traffic jams, but now I'm used to them.

あなたはどのような交通手段を利用したいですか？なぜですか？
私が住んでいる都市のバスや電車はラッシュアワーになると混雑するので、車で移動するのが好きです。以前は交通渋滞に悩まされましたが、今はもう慣れました。

Question 4

What are the advantages of living in the countryside as opposed to a city?

I would say that the advantages of living in a rural area are that housing and the overall cost of living in the country are much lower than in the city. There is plenty of space in the country, so most of the housing is big and cheap to buy. Also, since many rural villages and towns are surrounded by fields and farms, people can purchase fresh food without spending as much as people in the city.

都会とは違う田舎暮らしのメリットは何ですか？

田舎に住むメリットは、都会に比べて住宅や生活費全般がかなり安くなることでしょうか。田舎は広々としているので、ほとんどの住宅が大きく、安く購入することができます。また、田舎の村や町の多くは畑や農場に囲まれているので、都会に住んでいる人ほどお金をかけずに新鮮な食材を購入することができます。

Question 5

What are the advantages of living in a condo as opposed to a house?

Living in a condo brings various benefits, especially for those living downtown. Residents don't need to shovel snow, mow the lawn, or worry about when to put the garbage out. Plus, many condos come with amenities such as a swimming pool, gym, and room for parties. During the winter and summer, people living in condos don't even need to step out for exercise, which is a huge asset for those living in cities with harsh climates.

＊shovel snow:雪かきをする

＊mow the lawn: 芝刈りをする

＊amenity:（この場合は）設備

＊asset:（この場合は）利点

＊harsh climate:厳しい気候

一軒家ではなく、マンションに住むメリットは何でしょうか？

マンションに住むと、特に都心に住む人にとっては、さまざまなメリットがあります。雪かきや芝刈り、ゴミ捨ての時間などを気にする必要がありません。また、多くのコンドミニアムには、プール、ジム、パーティールームなどの設備が整っています。冬や夏の間、コンドミニアムに住む人は外に出て運動する必要がないので、気候の厳しい都市に住む人にとっては大きな利点となります。

[仕事]

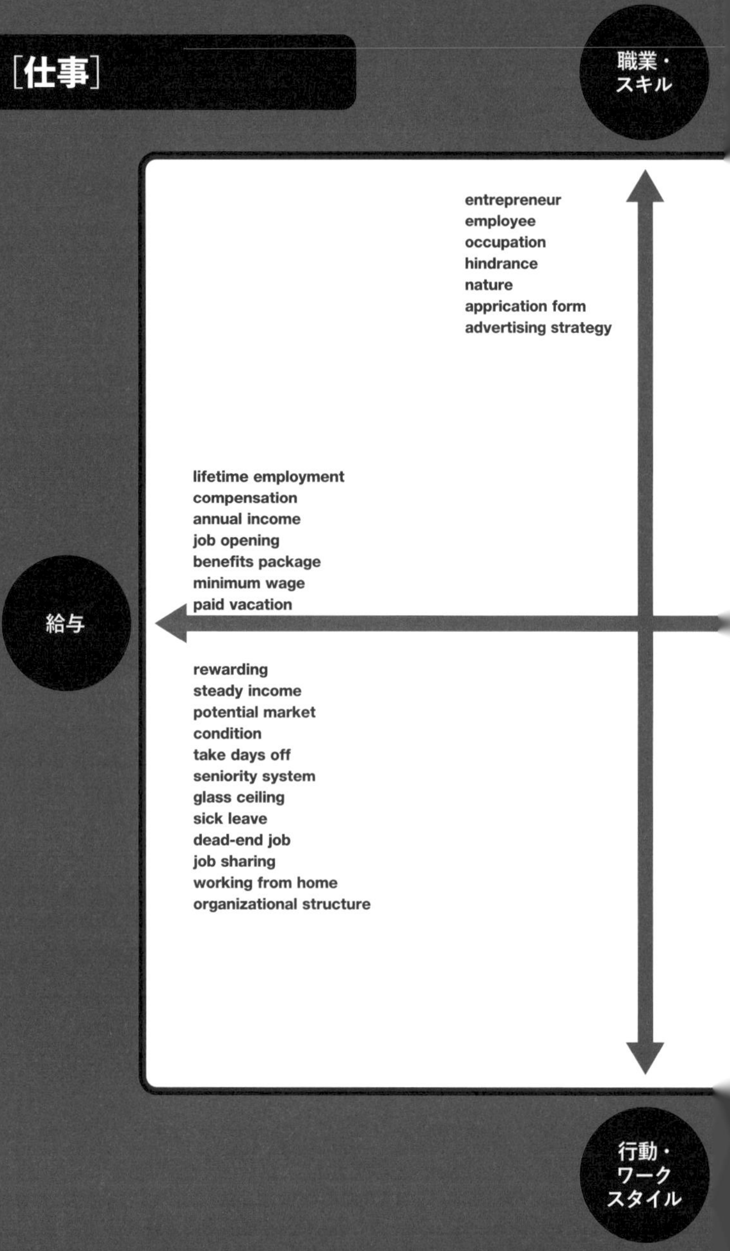

職業・スキル

entrepreneur
employee
occupation
hindrance
nature
apprication form
advertising strategy

給与

lifetime employment
compensation
annual income
job opening
benefits package
minimum wage
paid vacation

rewarding
steady income
potential market
condition
take days off
seniority system
glass ceiling
sick leave
dead-end job
job sharing
working from home
organizational structure

行動・ワークスタイル

職業・スキル

administration
oversee
responsible
specialize
entail
matter

dress code
profit
start-up
run
found
stimulate
sustain
compete
sacrifice
workforce
predict

straightforward
keen
self-motivated
well-organized
hardworking
diligent
autonomy
attitude towards work

企業

out of reach
put into action
put effort into
get out of one's comfort zone
try one's hand at
make an impression
take ～ seriously
go over
use up
succeed
realize
groom
lay off
call it a day
bring something to the table
cut corners

résumé
qualification
obligation
submit
promote
exploit
unemployed

行動・ワークスタイル

[仕事] ❶

76

単語	日本語訳	言い換え・関連語
□□□ **compensation** [kampənséiʃən] 名 不 ▶ 動 compensate	補償金、報酬	-
□□□ **entrepreneur** [ɑːntrəprənəːr] 名 可 ▶ 名 entrepreneurship	起業家	-
□□□ **profit** [prɑfət] 名 可/不 ▶ 形 profitable 反 loss	利益	income, earnings
□□□ **employee** [implɔ' iiː] 名 可 ▶ 動 employ 反 employer	従業員	member of staff, worker
□□□ **workforce** [wəːrkfɔrs] 名 可	労働力	labor force
□□□ **condition** [kəndíʃən] 名 可 ▶ 形 conditional	条件	term
□□□ **occupation** [ɑkjəpéiʃən] 名 可 ▶ 形 occupational	職業	job, profession
□□□ **autonomy** [ɔtɑnəmi] 名 不 ▶ 反 dependence	自主性	independence

例文の日本語訳	例文	備考
彼女は自分の所有物に受けた損害について、政府から補償金を受け取りました。	**She received compensation from the government for the damage done to her property.**	「報酬」から転じて「給料」の遠回しの表現にも使われる。
起業家は、利益を上げることを目的に、ビジネス上のリスクを取ります。	**The entrepreneur takes business risks in the hope of making a profit.**	発音に注意。
ようやく黒字になり、彼女は実際に利益が出るようになりました。	**It was finally in the black, and she was actually making a profit.**	一般的な意味では不可算、具体的な意味では可算。
その会社は、従業員に対する給与が良いだけでなく、福利厚生も充実していました。	**In addition to a competitive salary, the company offered employees attractive benefits.**	日本語の「スタッフ」とは異なり、英語の「staff」は従業員全体を指す集合名詞。
ハイテク産業は、適応力があり、新技術に精通した労働力を必要としています。	**The tech industry requires a workforce that is adaptable and skilled in new technologies.**	
契約には、従業員が在宅勤務できる条件が明記されていました。	**The contract specified the conditions under which employees could work from home.**	
簿記は座りっぱなしの職業です。	**Bookkeeping is a sedentary occupation.**	
子会社がより自主性を持つようになります。	**The subsidiary companies will now have more autonomy.**	

[仕事] ❷

■◀)) 77

単語	日本語訳	言い換え・関連語	
□□□ **start-up** [startʌp] 名 可	スタートアップ(始めたばかりの)企業	-	
□□□ **hindrance** [híndrəns] 名 可	障害物、邪魔なもの	**barrier, obstacle**	
□□□ **administration** [ədmìnistréiʃən] 名 不 ▶ ㊎ **administrative**	管理(部門)	**authority, management**	
□□□ **nature** [néitʃər] 名 可 ▶ ㊎ **natural**	性質	**character**	
□□□ **résumé** [rézəmèi] 名 可	履歴書	**CV**	
□□□ **qualification** [kwɑləfikéiʃən] 名 可 ▶ ㊍ **qualify**	資格、必要条件	**requirement**	
□□□ **obligation** [ɑbligéiʃən] 名 可 ▶ ㊍ **obligate**	義務	**duty**	
□□□ **specialize** [spéʃəlàiz] 自 動 ▶ ㊔ **specialization**	専門にする	-	

	例文の日本語訳	例文	備考
	彼のスタートアップでは、プラスチックごみを減らすため環境に優しい包装方法の開発に力を注いでいます。	His start-up focuses on developing eco-friendly methods of packaging to reduce plastic waste.	
	キッチングッズの中には、役立つというより邪魔になるものもあります。	Some kitchen gadgets are more of a hindrance than a help.	
	その人たちは管理部門の経験者を探していました。	They were looking for someone with experience in administration.	
	進化するのは組織の本質です。	It's the nature of any organization to evolve.	「自然」という意味でよく知られているが、この意味でもよく使われる。
	仕事探しの第一歩は、最新の履歴書を用意することです。	The first step in a job search is to prepare an up-to-date résumé.	
	この仕事の主な必要条件は、SNSマーケティングの経験です。	The primary qualification for this job is experience in social media marketing.	
	雇用主は、すべての従業員を平等に扱う義務があります。	Employers have an obligation to treat all employees equally.	
	同社は、イタリア料理を専門とするファストフードのテイクアウト店です。	This company is a fast-food takeaway that specializes in Italian cuisine.	

［仕事］❸

78

単語	日本語訳	言い換え・関連語
□□□ **found** [fáund] 他 動 ▶ 名 foundation	設立する	**establish**
□□□ **promote** [prəmóut] 他 動 ▶ 名 promotion	昇進させる	**advance**
□□□ **exploit** [iksplɔ́it] 他 動	搾取する	**take advantage of**
□□□ **entail** [entéil] 他 動 ▶ 反 exclude	伴う、必要とする	**involve, require**
□□□ **predict** [pridíkt] 他 動 ▶ 名 prediction	予測する	**anticipate, forecast**
□□□ **stimulate** [stímjəlèit] 他 動 ▶ 名 stimulation	刺激を与える	**inspire**
□□□ **sustain** [səstéin] 他 動 ▶ 形 sustainable	継続する	**preserve**
□□□ **compete** [kəmpíːt] 自 動 ▶ 名 competition	競争する、対抗する	**battle**

例文の日本語訳	例文	備考
その会社は、イタリア出身の夫妻によって設立されました。	**The company was founded by a husband and wife who were from Italy.**	
彼女は懸命に働き、すぐに昇進しました。	**She worked hard and was soon promoted.**	自分が「昇進する」場合、例文のように受動態にする。
労働者は雇用主から冷酷に搾取されています。	**The workers are ruthlessly exploited by their employers.**	
自分の職務が何を伴うものなのか、まったく想像がつきませんでした。	**I had no idea what my duties would entail.**	単語だけでの意味ではイメージがつかみにくい語なので、たくさんの例文とともに覚えることが重要。
彼は、来年までに会社の成長率が2倍になると予測していました。	**He predicted the company's growth would double by next year.**	
デジタルマーケティングの短期コースを受講したことが刺激となり、この分野でキャリアを積みたいと思うようになったのです。	**Taking a short course on digital marketing stimulated my interest in pursuing a career in the field.**	
地域の店は継続するための方法を模索する必要があります。	**Local shops need to seek ways to sustain their businesses.**	
地元企業が大企業に対抗するためには、必然的に創造的な方法を考え出さなければならないでしょう。	**Local businesses will inevitably figure out creative ways to compete with large companies.**	

[仕事] ❹

79

単語	日本語訳	言い換え・関連語
□□□ **submit** [səbmít] 自動 ▶ 形 submissive	従う	succumb
□□□ **sacrifice** [sǽkrəfàis] 他動	犠牲にする	give up
□□□ **oversee** [òuvərsí:] 他動 ▶ 名 oversight	統括する	supervise
□□□ **run** [rʌn] 他動	経営する	manage, handle
□□□ **succeed** [səksí:d] 自動 ▶ 形 successful	成功する	accomplish
□□□ **realize** [rí:əlàiz] 他動 ▶ 名 realization	実現する	accomplish
□□□ **matter** [mǽtər] 自動 ▶ 名 matter	重要である	mean something, have significance
□□□ **groom** [gru:m] 他動 ▶ 名 grooming	手入れする	make presentable
□□□ **responsible** [rispɑnsəbəl] 形	担当である	in charge

例文の日本語訳	例文	備考
彼らは脅迫に従わざるを得ませんでした。	**They were forced to submit to the threat.**	
多くの女性は、家庭のために、やりがいのあるキャリアを犠牲にします。	**Many women sacrifice rewarding careers for their families.**	
プロジェクトを統括するチームリーダーが任命されました。	**A team leader was appointed to oversee the project.**	
彼女は実家のレストランで経営の仕方を学びました。	**She learned how to run a business from her family's restaurant.**	runは実は非常に多くの意味がある語。新たな使い方が出てくるたびに辞書を調べると良い。
そのプロジェクトは、成功する見込みがないように見えました。	**The project seemed unlikely to succeed.**	特定のプロジェクトなどではなく、一般的な意味で「成功している人だ」などと言いたいときは形容詞 のsuccessfulを使うことが多い。
私の勤める会社は今年、ヨーロッパ進出の目標を実現するでしょう。	**The company I work for will realize its goal of expanding into Europe this year.**	
自分が重要な存在であると感じられなければ、顧客の信頼を勝ち取ることは難しいでしょう。	**It's hard to win customer trust if people don't feel they matter.**	形容詞のような意味合いを持つので感覚をつかみにくい動詞。例文をいろいろ見て使い方を学ぼう。
彼女の髪はいつも完璧に手入れされています。	**Her hair is always perfectly groomed.**	
彼女はプロジェクト全体の設計を担当していました。	**She was responsible for designing the entire project.**	

[仕事] ❺

80

単語	日本語訳	言い換え・関連語
□□□ **keen** [kíːn] 形 ▶ 反 unenthusiastic	熱心な	avid
□□□ **self-motivated** [sélf móutivèitəd] 形 ▶ 反 lazy	自発的な	-
□□□ **well-organized** [wel ɔ́rgənàizd] 形 ▶ 反 ineffective	きちんとしている	orderly, efficient
□□□ **hardworking** [hɑrdwəːrkiŋ] 形 ▶ 名 hard-worker	勤勉な	diligent, conscientious
□□□ **diligent** [dílidʒənt] 形	勤勉な、地道な	hardworking, conscientious
□□□ **straightforward** [strèitfɔrwərd] 形 ▶ 反 complicated	簡単な、複雑ではない	simple, easy
□□□ **unemployed** [ʌnemplɔid] 形 ▶ 反 employed	失業している	-
□□□ **rewarding** [riwɔːrdiŋ] 形 ▶ 副 rewardingly, unrewarding	価値がある、やりがいがある	satisfying, worthwhile

	例文の日本語訳	例文	備考
	私はランニングを熱心に行っており、毎日のようにトレーニングに出かけています。	I am a keen runner and am out training most days.	例文のようにkeen ○○ =熱心な○○ という表現で使われることが多い。
	彼女はどんな困難にも決してあきらめない自発的な性格の持ち主です。	She is a self-motivated individual who never gives up on any challenge.	
	彼はきちんとしたマネージャーで、常にプロジェクトを滞りなく進めています。	He is a well-organized manager who always keeps his projects on track.	「整理整頓がうまい」という意味でもよく使われるが、面接や履歴書でアピールする性格としてはここにある意味で使われる。
	彼は勤勉でエネルギッシュな人でした。	He was hardworking and energetic.	「エネルギッシュ」は和製英語。
	チームはすべての四半期目標を地道に達成しました。	The team was diligent in meeting all their quarterly targets.	
	プロジェクトの資金調達は、一筋縄ではいきませんでした。	Getting funding for the project was far from straightforward.	
	地域の労働力の4分の1が失業しています。	A quarter of the local workforce is unemployed.	
	教師はやりがいがあるキャリアかもしれません。	Teaching can be a rewarding career.	

[仕事　熟語] ❶

81

単語	日本語訳	言い換え・関連語
□□□ **annual income** [ǽnjuəl ínkʌm] 名 可/不	年収	**yearly income**
□□□ **benefits package** [bénəfits pǽkidʒ] 名 可	福利厚生	**employee benefits**
□□□ **job opening** [dʒɑb óupniŋ] 名 可	求人	**available position**
□□□ **lifetime employment** [láiftàim emplɔ́imənt] 名 不	終身雇用	**job for life**
□□□ **minimum wage** [mínimәm weidʒ] 名 可	最低時給、最低賃金	**minimum pay**
□□□ **paid vacation** [péid veikéiʃən] 名 可	有給休暇	**holidays with pay**
□□□ **seniority system** [sinjɔ́rəti sístəm] 名 可	年功序列	-
□□□ **glass ceiling** [glǽs sí:liŋ] 名 可	ガラスの天井（女性がキャリアを追求するとき、目に見えない行き止まりがあることを指す表現。）	-

例文の日本語訳	例文	備考
日本の平均年収は、1980年当時よりはるかに高くなりました。	**The average annual income in Japan is now much higher than it was in 1980.**	一般的な意味では不可算、具体的な意味では可算。
示された給与と福利厚生で、この仕事がいかに重要かわかりました。	**The importance of the position was reflected in the salary and benefits package offered.**	複数あることが普通なので、たいていは「benefits」と複数で表される。
その会社はグラフィックデザイナーの求人を告知しました。	**The company announced a job opening for a graphic designer.**	
日本の労働者は、終身雇用に慣れています。	**Japanese workers are accustomed to lifetime employment.**	seniority systemとともに、日本の雇用環境について説明するのに便利な熟語。
この人たちは、最低賃金以上の収入を得るに値します。	**These people deserve to make more than the minimum wage.**	
彼はよく働いているので、2週間の有給休暇を取る権利があります。	**He has been working hard and is entitled to a paid vacation of a fortnight.**	
彼は年功序列のルーツと、なぜ年功序列がこれほどまでに議論されているのかを解説してくれました。	**He explained the roots of the seniority system and why it is such a hot-button issue.**	a hot-button issue ＝重要な争点、炎上しがちなトピック
彼女は女性初の上級管理職としてガラスの天井を突き破りました。	**She broke through the glass ceiling as the first woman to reach senior management level in the company.**	男女機会平等のトピックでは必須の重要単語。

82

単語	日本語訳	言い換え・関連語
□□□ **sick leave** [sík líːv] 名 不	病気休暇	-
□□□ **dress code** [drés kóud] 名 可	服装規定	-
□□□ **potential market** [pəténʃəl markit] 名 可	潜在的な市場	**possible market**
□□□ **out of reach** [áut əv riːtʃ] 名 不 ▶ accessible	手が届かない	**beyond reach**
□□□ **dead-end job** [dédénd dʒab] 名 可	行き詰りの（将来性がない）仕事	-
□□□ **application form** [æplikéiʃən fɔrm] 名 可	応募書類、応募フォーム	-
□□□ **attitude towards work** [ǽtitùːd tɔrdz wərk] 名 可	仕事に対する考え方、姿勢	-
□□□ **job sharing** [dʒab ʃέəriŋ] 名 不	ジョブシェアリング	-
□□□ **working from home** [wərkiŋ frəm hóum] 名 可 ▶ 反 commuting to work	在宅勤務	-

	例文の日本語訳	例文	備考
	自営業の場合、有給休暇や病気休暇はありません。	**There are no paid holidays or sick leave if you are self-employed.**	
	その会社には厳しい服装規定があり、男性社員は全員スーツを着用することになっていました。	**The company had a strict dress code—all male employees were expected to wear suits.**	
	会社はアジアを潜在的な市場拡大の対象としています。	**The company identified Asia as a potential market for expansion.**	
	東京の住宅価格は庶民には手が届きません。	**Housing prices in Tokyo are out of reach for ordinary people.**	
	同じことのくり返しで退屈な経理事務をこなし、行き詰っていました。	**I was in a dead-end job, doing accounting work that had become repetitive and boring.**	
	次の段階は、応募書類を作成することでした。	**The next stage was to complete an application form.**	
	男女の仕事に対する考え方には、明らかな違いがあります。	**There are obvious differences in men's and women's attitudes towards work.**	
	パートタイム労働やジョブシェアリングが一般的になるでしょう。	**Part-time work and job sharing will become common.**	フルタイムの従業員1人が担当する業務を2人以上で分担する雇用形態。
	感染症の流行中、多くの従業員にとって在宅勤務は当たり前となりました。	**During the pandemic, working from home became the norm for many employees.**	在宅勤務という意味で、「テレワーク」はほぼ使われない。リモートワークは使われるものの、work from home（動詞）のほうが一般的。

［仕事　熟語］❸

🔊 83

単語	日本語訳	言い換え・関連語	
□□□ **advertising strategy** [ǽdvərtàiziŋ strǽtədʒi] 名 可/不	広告戦略	marketing strategy	
□□□ **steady income** [stédi ínkʌm] 名 可	安定した収入、定収入	regular/stable income	
□□□ **organizational structure** [ɔrgənəzéiʃənəl strʌktʃər] 名 可	組織構造	-	
□□□ **put into action** [pút íntu ǽkʃən] 動 ▶ 反 give up	実行する	implement	
□□□ **take (a) day(s) off** [téik (ə) déi (z) ɔf] 動	休みを取る	take time off	
□□□ **put effort into** [pút éfərt íntu] 動	努力をする	commit to	
□□□ **get out of one's comfort zone** [get áut əv kʌmfərt zóun] 動	自分のコンフォートゾーン（無理をせずにいられる範囲）から抜け出す	-	
□□□ **try one's hand at** [trái hǽnd ət] 動	挑戦する、初めて試みる	tackle	

例文の日本語訳	例文	備考
私の職場では、最適な広告戦略について考えています。	**We've been thinking about the best advertising strategy at work.**	一般的な意味では不可算、具体的な意味では可算。
その会社では、安定した収入があり、柔軟な働き方をすることもできました。	**The company gave me a steady income and a flexible schedule.**	
彼は、経営管理をしやすくするための組織構造を作りました。	**He instituted an organizational structure that would facilitate management control.**	
アイデアを実行に移す苦労は、多くの人が共感するものです。	**Many people share the struggle to put ideas into action.**	実行に移す対象のものは、例文のようにputとintoの間に置く。
その日は仕事を休む予定でした。	**I was supposed to take a day off from work that day.**	通常、単発で短い休みを指す。
我々のチームは接客スキルを上げるように努力しました。	**Our team put effort into improving our customer service skills.**	put effort intoと熟語で使うときは、通常effortは不可算名詞。
成長するためには、自分のコンフォートゾーンから抜け出さなければいけません。	**In order to grow, I should get out of my comfort zone.**	comfort zoneという語にピンとこない場合は、辞書やネットで色々な英文を見てみると良い。
お菓子作りに挑戦してみたところ、得意なことがわかりました。	**I decided to try my hand at baking and discovered I was good at it.**	

［仕事　熟語］❹

84

単語	日本語訳	言い換え・関連語	
□□□ **make an impression** ［méik ən impréʃən］ 動	印象を与える	**make an impact**	
□□□ **take ～ seriously** ［téik síəriəsli］ 動	～を真剣に受け止める、～の話を真面目に聞く	-	
□□□ **go over** ［góu óuvər］ 動	確認する	**check, review**	
□□□ **use up** ［júːz ʌp］ 動 ▶ 反 **save**	使い切る	-	
□□□ **lay off** ［léi ɔf］ 動	解雇する	**fire** ※社員の側に落ち度があった場合に使う。	
□□□ **call it a day** ［kɔl ít ə déi］ 動	その日の仕事を終える	-	
□□□ **bring something to the table** ［bríŋ túː ðə téibl］ 動	（会議などで）価値あるものを提供する、もたらす	**contribute**	
□□□ **cut corners** ［kʌt kɔrnərs］ 動	手を抜く（経費や労力を節約するため）	-	

例文の日本語訳	例文	備考
面接では、好印象を与えることが重要です。	Making a great impression is essential during a job interview.	
周りの人が私の話を真面目に聞いてくれなくて困っていたんです。	I had trouble with people not taking me seriously.	
試験前にノートを確認しました。	I went over my notes before the exam.	
日本人は有給休暇を使い切らないことがあります。	Japanese people sometimes do not use up their paid vacation.	
その会社は不況のあおりを受け、数人の従業員を解雇せざるを得ませんでした。	The company had to lay off several employees during the economic downturn.	不況など、おもに企業の経営上の都合で辞めさせる場合に使う。
チームは長いミーティングの後、その日は終わりにして翌日に仕切り直すことにしました。	After a long meeting, the team decided to call it a day and regroup the next day.	
彼女はデジタルマーケティングに関する豊富な知識をもたらしてくれています。	She brings a wealth of knowledge in digital marketing to the table.	
チームが手を抜くことを拒んだため、プロジェクトは完了まで数ヶ月かかってしまいました。	The project took several months to complete because the team refused to cut corners.	

練習問題

Question 1

What's the best thing about your job?

The best thing about my job is the autonomy it offers. I can take the initiative and put my ideas into action without much hindrance. This freedom stimulates my creativity and motivates me to achieve more, which makes my role highly rewarding and fulfilling.

あなたの仕事の一番の魅力は何ですか？
私の仕事の一番の魅力は、自主性があることですね。主導権を握り、自分のアイデアをさほど妨げられることなく実行に移すことができます。この自由が私の創造性を刺激し、より多くのことを成し遂げようという意欲を高めてくれるのです。

Question 2

Could you tell me a typical day of yours at work?

Sure. I usually start work at 9:00 a.m. After that, I respond to and answer emails from consumers and clients. Once that is done, I meet with my employees in the afternoon for a meeting. During this meeting, we discuss trends and identify future needs and potential

markets. Around 5:00 p.m., based on the messages left by my secretary, I start returning phone calls. Around 7:00 p.m., if there is nothing else to do in the office, I go out for dinner with my clients.

＊once: 〜すると、〜した後。ここでは接続詞としての用法。この問題のようにルーティンなどの説明をするときに便利。

仕事の一日の流れを教えてください。

朝9時には仕事を始めます。その後、消費者や顧客からのメールに返信したり、答えたりします。それが終わると、午後には社員と会ってミーティングを行います。このミーティングでは、トレンドについて話し合い、将来のニーズや潜在的な市場を確認します。午後5時頃、秘書が残したメッセージをもとに、電話を折り返し始めます。午後7時頃、オフィスで何もすることがなければ、顧客と一緒に食事に行きます。

Question 3

What is the most difficult thing about your current studies or job?

There are disadvantages and risks entailed in running a business. The enormous responsibility I carry as an entrepreneur feels very heavy. When a problem emerges, I'm responsible for solving it, which causes me daily stress. Additionally, I can take only limited time off, mainly because my company is currently still at the start-up stage. I cannot take my mind off my work, even when I'm resting.

＊take one’s mind off: ～について考えることをやめる

今の勉強や仕事で一番大変なことは何ですか？
ビジネスを行う上では、デメリットやリスクが伴います。起業家としての責任は非常に重く感じています。問題が発生すると、その解決に責任を持ち、日々ストレスを感じています。また、会社がスタートアップの段階にあることもあり、休める時は限られています。休んでいても仕事が頭から離れません。

Question 4

Does the way you look at a job interview affect your chances of success?

It depends on the nature of the job, but as a rule of thumb, you can say that smartly dressed candidates make a good impression on employers. How you look matters because your potential new bosses have very little information about you other than what is written in your application form or résumé. If you have an excellent résumé, but your suit is wrinkled, or your hair is messy, the interviewers may be a little suspicious. On the other hand, if you don't look like you have the skills they are looking for but you come in perfectly groomed, they are more likely to take you seriously. One of my friends didn't have enough qualifications for the job he was interviewed for, but he went over every detail of his

appearance before leaving home and was hired on the spot.

＊a rule of thumb:経験則

＊messy:ぼさぼさ、乱れている

＊suspicious:疑っている

＊on the spot:その場で

面接時、外見は勝敗を左右すると思いますか？

仕事の内容にもよりますが、経験則上、スマートな服装の候補者は雇用者に好印象を与えると言えるでしょう。新しい上司になるかもしれない人は、応募用紙や履歴書に書かれていること以外に、あなたの情報をほとんど知らないので、外見が重要なのです。優れた履歴書を持っていても、スーツがしわくちゃだったり、髪が乱れていたりすると、面接官は少し疑ってしまうかもしれないですね。逆に、会社が求めているスキルを持っているようには見えなくても、身だしなみを完璧に整えて来れば、真剣に受け止めてくれる可能性があります。私の友人の一人は、面接を受けた仕事に十分な資格を持っていませんでしたが、家を出る前に身だしなみの細部まで確認し、その場で採用されました。

Question 5

Has the working style changed a lot in Japan compared to the past?

Yes, it has. Over the past 25 years, companies have started to allow job sharing and working from home. This has been very popular with employees who live far away or are raising infants and toddlers. Job sharing enables employees to reduce their working hours from the standard 8 hours to 4, which is beneficial for those with family obligations.

日本では、以前と比べてワークスタイルが大きく変わりましたか？

はい、そうですね。この25年の間に、企業はジョブシェアリングや在宅勤務を認めるようになりました。これは、遠方に住んでいる社員や小さな子供を育てている社員にとても人気があります。ジョブシェアリングでは、社員の勤務時間を従来の8時間から4時間に短縮することができます。これは、家庭の事情がある人にとっては有益です。

Question 6

Which skills are most useful when you are looking for a job?

When looking for a job, the most useful skills include strong communication, which allows you to articulate your thoughts clearly and effectively collaborate

with others. Being self-motivated and well-organized helps you meet deadlines and manage multiple tasks efficiently. Additionally, having a keen attitude towards work and the ability to adapt to new challenges are highly valued. Employers also appreciate a proactive approach, where candidates are willing to get out of their comfort zone and take initiative. Including these skills on your résumé can make a significant impression and increase your chances of securing a job.

就職活動では、どのようなスキルが最も有効なのでしょうか？

就職活動で最も役立つスキルには、自分の考えを明確に伝え、他者とうまく協力できるコミュニケーション能力があります。自発的で整理整頓が得意であれば、期限を守り、複数の仕事を効率的に管理することができます。さらに、仕事に対する熱心な姿勢や新しい挑戦に適応する能力も高く評価されます。また、雇用主は、候補者が自分の居心地の良い領域から抜け出し、率先して行動する積極的なアプローチも高く評価します。このようなスキルを履歴書に盛り込むことで、好印象を与え、就職の可能性を高めることができます。

[お金]

経済・ファイナンス

買い物

モノの値段と価値

change
credit
expenditure
mortgage
debt
interest
certificate
deduct
reimburse

commission
deposit
pension
down payment

overspend
splurge
financial stability

invigorate
must-have
afford
treasure
invaluable
sell
pricey
overpriced
rip-off
cost a fortune
inexpensive
worth
versatile
stand the test of time
have an eye for
bulky

refund
do the shopping
pay the full price
shopping spree
independent store
brand name
loyalty card
clothes horse
brick-and-mortar store

経済・
ファイナンス

well-off
affluent
broke

foot the bill
get into debt
pay off
possess
donate

お金
の
管理

exquisite
valuables
incomparable
unparalleled
thrifty
frugal
hand-crafted
masterpiece
flawless
genuine

モノの
値段と
価値

［お金］❶

85

単語	日本語訳	言い換え・関連語	
□□□ **expenditure** [ikspénditʃər] 名 不 ▶ 反 income, earnings	支出、経費	-	
□□□ **change** [tʃéindʒ] 名 不 ▶ 反 bill, banknote	小銭、お釣り	coin	
□□□ **credit** [krédit] 名 不 ▶ 反 debit	（お金の貸し借りの際の）信用、信用度、クレジットスコア	credit rating, credit score	
□□□ **mortgage** [mɔrgidʒ] 名 可/不	住宅ローン	home loan	
□□□ **debt** [dét] 名 可/不 ▶ 反 asset, credit	借金	liability	
□□□ **interest** [íntərəst] 名 不	利子	-	
□□□ **refund** [ríːfʌnd] 名 可 ▶ 動 refund	返金	repayment	
□□□ **certificate** [sərtífikət] 名 可 ▶ 動 certify	証明書	certification	

例文の日本語訳	例文	備考
同社の報告書には、研究開発費が増加したことが詳細に記されていました。	**The company's report detailed an increase in expenditure on research and development.**	
私の父はいつもポケットに小銭をたくさん入れていました。	**My dad always used to carry a lot of change in his pocket.**	「小銭」の意味としてはcoinよりも一般的に使われる表現。この意味では不可算名詞。
信用度を上げるためにやったことは、リボ払いを減らすことでした。	**What I did to raise my credit score was pay down my revolving credit.**	日本語にはしづらい概念だが、クレジットカード払いが浸透している英語圏では「クレジットスコア」＝「ちゃんとお金を返済している履歴がある人かどうか」という信用度はいろいろな場面で重視される。
住宅ローンの支払いは、多くの人にとって大きな心配事です。	**Paying the mortgage is a big worry for many people.**	住宅に関するローンはこの語を使うのが一般的。一般的な意味では不可算、具体的な意味では可算。
彼は職を失ってから、借金をするようになりました。	**After he lost his job, he got into debt.**	発音に注意。「借金をしている状態」を指すときは不可算、具体的な借金を指すときは可算。
総費用は10,000ドル、それに14%の利子がつきました。	**The total cost was $10, 000, plus 14% interest.**	
私たちは、全額返金を主張しました。	**We insisted on a refund of the full amount.**	
彼女は学位証書を誇らしげにご両親に見せていました。	**She proudly displayed her degree certificate to her parents.**	

［お金］❷

86

単語	日本語訳	言い換え・関連語
□□□ **valuables** [væljəbls] 名 可 ▶ 形 valuable 副 valuably	貴重品	treasure
□□□ **commission** [kəmíʃən] 名 可	歩合制の手数料、マージン	brokerage
□□□ **deposit** [dipɑzit] 名 可	手付金、保証金	retainer
□□□ **masterpiece** [mǽstərpìːs] 名 可	名品	work of art, gem
□□□ **must-have** [mʌst hæv] 名 可	必需品	necessity
□□□ **pension** [pénʃən] 名 可 ▶ 名 pensioner	年金	-
□□□ **deduct** [didʌkt] 他 動 ▶ 反 add	差し引く、控除する	subtract
□□□ **reimburse** [rìimbəːrs] 他 動	払い戻す	-
□□□ **afford** [əfɔrd] 他 動 ▶ 形 affordable	（金銭的または時間的な）余裕がある	manage

	例文の日本語訳	例文	備考
	彼女は貴重品をすべて金庫に鍵をかけて保管していました。	**She locked all her valuables in a safe.**	名詞としてこの意味では複数形で使う。
	アーティストのエージェントは、歩合制の手数料を受け取っていました。	**The artist's agent received a commission on a percentage basis.**	
	大家は私に家賃の2ヶ月分の保証金を支払うよう要求しました。	**The landlord required me to pay a deposit of two months' rent.**	
	美術館では、さまざまな時代の古美術品や名品が展示されています。	**In museums, antiquities and masterpieces from different historical periods are on display.**	
	携帯電話は、今や子どもたちの必需品です。	**The mobile phone is now a must-have for children.**	
	私の会社で働く人たちは、年金を含む社会保障が業界で一番充実しているのです。	**The workers at my company are entitled to the best social security, including a pension, in the industry.**	
	仕事関連の経費は課税所得から差し引くことができます。	**You can deduct work-related expenses from your taxable income.**	
	会社は出張中に発生した旅費を従業員に支給します。	**The company will reimburse employees for travel expenses incurred during business trips.**	
	昨年は休暇を取る余裕がありませんでした。	**We couldn't afford a vacation last year.**	こういった形容詞的な動詞は日本人にはパッと使いにくいので、例文も一緒に覚えておこう。

[お金] ❸

87

単語	日本語訳	言い換え・関連語
□□□ **possess** [pəzés] 他 動 ▶ 名 possession	保有している	own
□□□ **donate** [dóuneìt] 他 動 ▶ 名 donation	寄付する	give away
□□□ **overspend** [óuvərspend] 自 動	お金を使いすぎる	spend too much
□□□ **splurge** [splə:rdʒ] 他 動 ▶ 名 splurge 反 save	散財する	spend a lot, splash out
□□□ **treasure** [tréʒər] 他 動 ▶ 名 treasure	大事にする	cherish, appreciate
□□□ **invigorate** [invígərèit] 他 動 ▶ 形 invigorating	元気を出させる	energize, vitalize
□□□ **sell** [sel] 自 動	売れる	-
□□□ **well-off** [wélɔf] 形 ▶ 反 impoverished	裕福な	wealthy, prosperous, affluent
□□□ **affluent** [ǽfluənt] 形 ▶ 名 affluence 副 affluently 反 impoverished	裕福な	wealthy, prosperous, well-off

	例文の日本語訳	例文	備考
	彼らは世界中に財産を持っています。	**They possess property all over the world.**	have, ownよりも少しだけ硬い印象を与える語。
	彼は孤児院のために1,000ドルを寄付しました。	**He donated 1,000 dollars to an orphanage.**	
	日本人の多くは、年末年始にお金を使いすぎてしまいます。	**Many Japanese overspend during the New Year holidays.**	
	2、3ヶ月で30万円ほど洋服に散財してしまいました。	**Within a couple of months, I'd splurged about 300,000 yen on clothes.**	
	彼は、祖父からもらった金の時計を大事にしていました。	**He treasured the gold watch that his grandfather had given him.**	
	爽やかな朝の散歩で、これから始まる一日に向けて元気が出た。	**The brisk morning walk invigorated me for the day ahead.**	
	いい本が売れるとは限りません。	**A good book does not necessarily sell well.**	sellは「売る」という意味で良く知られているが、モノを主語にして「売れる」という意味でも使われる。
	裕福な家庭の子どもは、外に出るよりコンピューターゲームをしたがります。	**Children from well-off families would rather play computer games than go outside.**	形容詞の叙述的用法で使うときはハイフンないが普通。
	彼らは裕福でしたが、教育には力を入れていませんでした。	**They were affluent but didn't value education.**	

[お金] ❹

88

単語	日本語訳	言い換え・関連語
□□□ **broke** [bróuk] 形	(一時的に)無一文で	**poor, impoverished**
□□□ **pricey** [práisi] 形 ▶ 反 **cheap, inexpensive**	値段が高い	**expensive, costly**
□□□ **overpriced** [òuvəpráist] 形 ▶ 反 **reasonably-priced**	(モノの価値に対して)値段が高すぎる	**unreasonable**
□□□ **inexpensive** [inikspénsive] 形 ▶ 反 **expensive, costly, pricey**	値段が高くない	**affordable, reasonable**
□□□ **worth** [wəːrθ] 形 ▶ 反 **worthless**	価値がある	**worthy, worthwhile**
□□□ **versatile** [vəːrsətəl] 形 ▶ 反 **inflexible**	多目的に使える	**multipurpose, all-around**
□□□ **invaluable** [invǽljuəbl] 形 ▶ 反 **worthless**	とても貴重な	**priceless, precious**
□□□ **exquisite** [ikskwízit] 形 ▶ 副 **exquisitely**	非常に美しい、精巧な	**fine, elegant**

例文の日本語訳	例文	備考
当時、私は完全に無一文でした。	**I was completely broke at that time.**	おもに口語で使われる。
この通りには、高級レストラン、アートギャラリー、ショップ、美容室などが点在しています。	**The street is dotted with pricey eateries, art galleries, boutiques, and hair salons.**	おもに口語で使われる。
靴はとても良かったのですが、値段が高すぎでした。	**The shoes were very nice but terribly overpriced.**	
比較的安価なレストランです。	**It's a relatively inexpensive restaurant.**	cheapという語には安っぽいというニュアンスも入り、直接的になってしまうので、こういった婉曲表現も使えると便利。
新車は先進的な機能を搭載しているので、価格に見合った価値があると思います。	**The new car is worth the price because of its advanced features.**	通常、直後に金額などを持ってきて「〜の価値がある」という意味で使う。また、金銭的な意味だけではなく、直後にVingを持ってきて「〜(という行動を)する価値がある」というようにも使われる。
レザージャケットは、時代を超えて多目的に使える、オールシーズン着用できる服です。	**A leather jacket is a timeless and versatile garment that can be worn in all seasons.**	garment＝衣服、衣類
祖母のネックレスは家族の歴史を象徴するもので、私にとってかけがえのないものです。	**My grandmother's necklace is invaluable to me because it symblizes the family's history.**	
精巧な職人の技が光る宝石です。	**The jewelry is of exquisite craftsmanship.**	

[お金] ❺

89

単語	日本語訳	言い換え・関連語
□□□ **genuine** [dʒénjuin] 形 ▶ 副 genuinely	本物の、真正の	authentic, bona fide
□□□ **flawless** [flɔ́ːləs] 形 ▶ 名 flaw	傷のない、完璧な	impeccable, perfect
□□□ **incomparable** [inkɑmpərəbəl] 形 ▶ 副 incomparably 反 inferior	比較にならないほどの	unparallelled
□□□ **frugal** [frúgəl] 形 ▶ 名 frugality 副 frugally	贅沢しない、質素な	thrifty
□□□ **hand-crafted** [hǽnd krǽftd] 形 ▶ 反 machine-made	手作りの	handmade
□□□ **bulky** [bʌlki] 形 ▶ 名 bulkiness	かさばる、ゴワゴワする	large
□□□ **unparalleled** [ʌnpǽrəleld] 形 ▶ 反 inferior, comparable	並ぶものがない	incomparable
□□□ **thrifty** [θ rífti] 形 ▶ 副 thriftily 反 wasteful	贅沢しない、質素な、お得な	frugal

	例文の日本語訳	例文	備考
	このアンティークショップでは、すべての商品が本物であることを保証してくれています。	The antique store guarantees that all its items are genuine.	人の性格を形容して「信頼がおける」という意味にもできる。
	このダイヤモンドの完璧な明度と輝きによって、特別な作品となっています。	The diamond's flawless clarity and brilliance make it an exceptional piece.	
	南西のバルコニーから眺める景色は他とは比較になりません。	The view from the south-western balcony is incomparable.	
	質素なランチを食べました。	We had a frugal lunch.	
	そのクッキー型は、アメリカのアーティストが1つ1つ手作業で銅を加工したものです。	Each of the cookie cutters is hand-crafted in copper by an American artist.	
	かさばる服は、動きを妨げがちです。	Bulky clothes tend to hinder movement.	
	彼女のキャリアを築くには、またとないチャンスでした。	It was an unparalleled opportunity to develop her career.	
	これは、友人や家族にクリスマスカードを送る際の、お得な方法です。	This can be a thrifty way to send holiday greetings to your friends and family.	

［お金　熟語］❶

90

単語	日本語訳	言い換え・関連語
□□□ **down payment** [dáun péimənt] 名 可	頭金	deposit
□□□ **financial stability** [fainǽnʃəl stəbíləti] 名 不	財政の安定	-
□□□ **shopping spree** [ʃɔpiŋ sprí：] 名 可	爆買い	binge shopping
□□□ **independent store** [ìndipéndənt stɔr] 名 可 ▶ 反 large chain store	個人商店（チェーンや大企業ではない）	-
□□□ **brand name** [brǽnd néim] 名 可	ブランド（名・製品）	-
□□□ **loyalty card** [lɔiəlti kɑrd] 名 可	ポイントカード、ショップカード	rewards card
□□□ **clothes horse** [klóu(ð)z hɔrs] 名 可	おしゃれ好きな人	fashionista
□□□ **brick-and-mortar store** [brík ən(d) mɔrtər stɔr] 名 可 ▶ 反 online shop	（ネットショップに対して）物理的に存在する店	physical store
□□□ **foot the bill** [fút ðə bíl] 動	払う、負担する	pick up the tab

	例文の日本語訳	例文	備考
	まず家の頭金を25％払わないといけませんでした。	**I had to make a 25 % down payment for the house first.**	
	定期的に貯金をすることは、経済的安定を得るための鍵です。	**Saving regularly is key to achieving financial stability.**	
	週末に爆買いしに行き、お金を使いすぎてしまいました。	**I went on a shopping spree at the weekend and spent far too much money.**	
	個人商店は、多くのメインストリートの元気の源です。	**Independent stores are the lifeblood of many of our high streets.**	
	消費者の中には、ブランド名から品質を連想する人もいます。	**Some consumers associate brand names with quality.**	ファッションブランドだけではなく、名が知られている企業すべてを指す。
	現在、多くのポイントカードがスマートフォンで利用できるようになっています。	**Nowadays, many loyalty cards are available on smart phones.**	「point card」とは表現しない。
	私はおしゃれ好きで、素敵な洋服がないと生きていけないんです。	**I'm such a clothes horse and can't live without exquisite clothes.**	
	ターゲット層を広げるために、多くの実店舗がオンラインショップを始めています。	**Many brick-and-mortar stores have started online stores to broaden their target demographics.**	
	この修理代は誰が負担するのだろうと思いました。	**I wondered who was going to foot the bill for all the repairs.**	

［お金　熟語］❷

91

単語	日本語訳	言い換え・関連語
□□□ **cost a fortune** [kɔst ə fɔrtʃən] 動 ▶ 反 be cheap	非常に高価だ	cost an arm and a leg
□□□ **do the shopping** [du ðə ʃɔpiŋ] 動	買い物（買い出し）をする	go grocery shopping
□□□ **pay the full price** [péi ðə fúl práis] 動	正規料金（定価）を支払う	-
□□□ **get into debt** [get íntu dét] 動	借金をする	-
□□□ **pay off** [péi ɔf] 動	完済する	pay back
□□□ **stand the test of time** [stǽnd ðə test əv táim] 動	長持ちする、長年にわたって価値が証明されている	-
□□□ **have an eye for** [həv ən ái fər] 動	目が利く、見抜く目を持っている	-
□□□ **rip off** [ríp ɔf] 動	ぼったくる	cheat

例文の日本語訳	例文	備考
私たちの結婚指輪は非常に高価なものでした。	**Our wedding rings cost a fortune.**	costは過去形・過去分詞形ともに同じスペル。
我が家では、買い物は私がしています。	**I'm the one who does the shopping in my family.**	go shoppingとは異なり、do the shoppingとすることで、日常の家事としての食料や日用品の買い物というニュアンスが出る。do the laundry, do the dishesなどと同じ、家事の仲間となる。
子どもの分まで正規の料金を払わなければならないとは知りませんでした。	**I didn't know we had to pay the full price for children.**	
借金をするのは、またそこから抜け出すより簡単なことなのです。	**It's easier to get into debt than to get out of it again.**	
彼は、2年でなんとか借金を完済しました。	**He managed to pay off his debts in two years.**	
質が高い品物は、時が経っても色あせないはずです。	**A high-quality item should stand the test of time.**	
彼は品質に対する目が利くので、常に最高の素材を選んでいます。	**He has an eye for quality and always chooses the best materials.**	
メーターがない場合、タクシー運転手は乗客からぼったくることができます。	**The lack of a meter allows taxi drivers to rip off passengers.**	

練習問題

Question 1

Do you enjoy shopping?

Yes, I enjoy shopping, especially when I find items that offer real value for the money. I try to be frugal, always on the lookout for good deals and avoid overspending on overpriced items. I particularly like shopping at independent stores where I can find unique, hand-crafted pieces that really stand out.

買い物は好きですか？

はい、私は買い物が好きです。節約を心がけ、常にお買い得品を探し、割高な商品には手を出さないようにしています。特に個人商店での買い物が好きで、そういった店では個性的な手作り品を見つけることができます。

Question 2

Do you prefer to shop alone or with other people?

I prefer shopping alone because it allows me to stick to my budget without the temptation to overspend. Shopping solo helps me focus on finding items that are truly worth the price, especially when I'm looking for genuine pieces that stand the test of time. Recently, I went shopping alone and found a hand-crafted watch at an independent store. The quality and uniqueness were exactly what I'd been searching for.

ショッピングはひとりでするのが好きですか、それとも誰かと一緒にするのが好きですか？

一人で買い物をするのが好きです。使いすぎる誘惑に駆られることなく、予算を守ることができるからです。特に、時間が経っても色あせないような本物の商品を探しているときは、一人で買い物をすることで、本当に値段に見合った商品を見つけることに集中できます。最近、一人で買い物に行き、個人商店で手作りの時計を見つけました。その品質とユニークさは、まさに私が探していたものでした。

Question 3

What kinds of products do you feel are worth spending a lot of money on?

I believe it's worth spending more on products that stand the test of time, such as high-quality furniture and technology that can significantly enhance daily life. Investing in items like a well-made sofa or a reliable laptop ensures they last longer and provide better value for the money. Additionally, I consider splurging on health-related products, like a good mattress or ergonomic office equipment, as they contribute to long-term well-being and are invaluable investments.

どのような製品にお金をかける価値があると感じますか？
私は、高品質な家具や日常生活を大きく向上させるテクノロジーなど、時が経っても使い続けられる製品にこそお金をかける価値があると考えています。質の良いソファや 信頼性の高いノートパソコンに投資することで、より長持ちするし、コストパフォーマンスも良くなります。さらに、良いマットレスや人間工学に基づいたオフィス機器など、健康に関連する製品にお金をかけることも考えていますが、こういったものは長期的な健康に貢献し、非常に有益な投資となります。

Question 4

What can parents do to teach children to save money?

Teaching a child something, such as how to manage a budget effectively, can be challenging. Since all children learn by copying, the most practical way is for parents to set a good example. If parents want to teach their children how to save money, they should make sure that they do not overspend. My parents were very frugal and always established a budget and carefully scheduled their expenses. They also paid off the mortgage on their house very quickly. I guess I naturally learned how to save money from my parents' example.

子どもにお金を貯めることを教えるために、親は何をすればいいのでしょうか？

子どもに何かを教えること、例えば、効果的な予算管理の方法を教えることは、難しいことです。子どもはみんな真似をして学ぶので、最も現実的な方法は、親が良い手本を示すことです。親が子どもにお金の貯め方を教えるなら、自分が使いすぎないようにすることです。私の両親はとても倹約家で、必ず予算を立て、慎重に支出を計画していました。また、家のローンを早く返済していました。そんな両親の姿を見て、私も自然とお金を貯める術を身につけたのでしょう。

Question 5

Do schools in Japan teach anything about financial management?

In Japan, financial management is increasingly being integrated into the school curriculum as part of life skills education. While not all schools offer extensive courses, basic concepts of budgeting, saving, and responsible spending are covered. Some schools go further by teaching students about investments, interest rates, and the importance of financial planning. This education aims to build a foundation for financial stability and informed money management from a young age. It prepares them for real-world financial decisions, emphasizing the value of being frugal and understanding credit management.

日本の学校では、金銭管理について何か教えているのでしょうか？

日本では、生活技能教育の一環として、財政管理が学校のカリキュラムに組み込まれつつあります。すべての学校で本格的な授業が行われているわけではありませんが、基本的な考え方として、予算管理、貯金、節度ある消費について学びます。さらに踏み込んで、投資や金利、財務計画の重要性を教える学校もあります。このような教育は、若いうちから経済的安定と十分な情報に基づいた金銭管理の基礎を築くことを目的としています。節約することの大切さ、クレジット管理を把握することを重視し、実社会での金銭的決定に備えさせます。

Question 6

What kinds of things do people in Japan often buy from online shops?

In Japan, all kinds of things can be bought at online stores and delivered to your doorstep, but I think most people purchase heavy items online. Since I don't drive, I use online stores to buy things like drinks and diapers that are too heavy or bulky to carry home on foot or by train. Also, clothes and fashion items that social media influencers recommend sell well at online shops. Since social media are online, we inevitably purchase those products on the Internet.

日本では、みんなオンラインでどのようなものをよく買うのでしょうか？

日本ではあらゆるものがオンラインで買え、玄関先まで届けてくれますが、特に重いものはオンラインで買うことが多いと思います。私は車を運転しないため、飲み物やオムツなど、徒歩や電車で持ち帰るには重かったりかさばったりするものはオンラインで買っています。また、SNSのインフルエンサーがおすすめするトレンドの服やファッションアイテムは、ネットでよく売れます。ソーシャルメディアはネット上にあるものなので、必然的にそれらの商品をネットで購入することになります。

[感情]

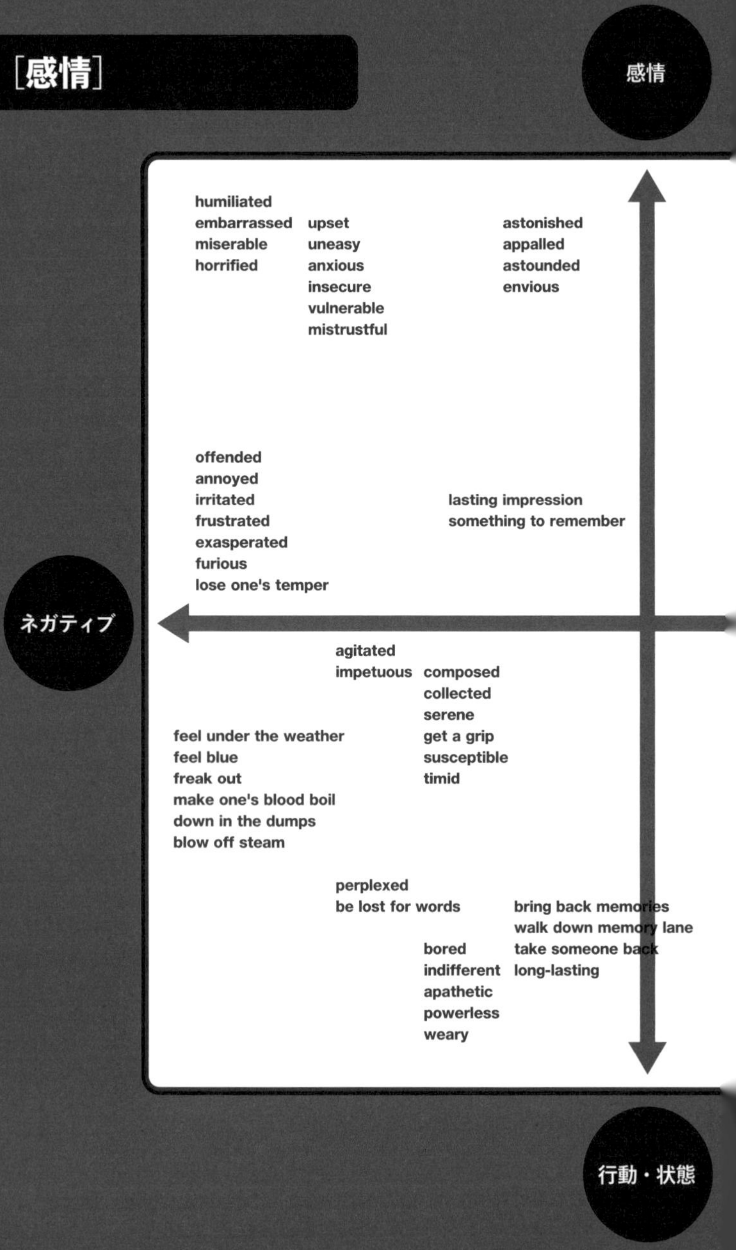

感情

humiliated
embarrassed
miserable
horrified

upset
uneasy
anxious
insecure
vulnerable
mistrustful

astonished
appalled
astounded
envious

offended
annoyed
irritated
frustrated
exasperated
furious
lose one's temper

lasting impression
something to remember

ネガティブ

agitated
impetuous

composed
collected
serene
get a grip
susceptible
timid

feel under the weather
feel blue
freak out
make one's blood boil
down in the dumps
blow off steam

perplexed
be lost for words

bring back memories
walk down memory lane
take someone back
long-lasting

bored
indifferent
apathetic
powerless
weary

行動・状態

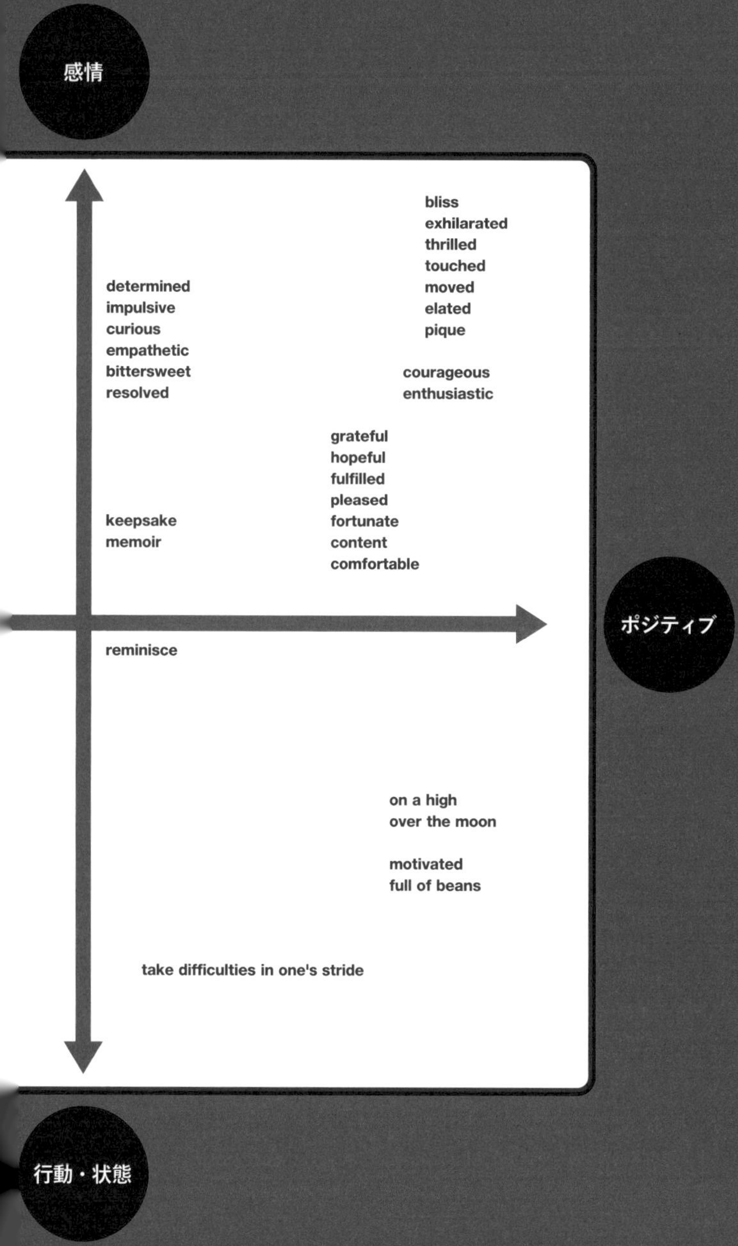

感情

bliss
exhilarated
thrilled
touched
moved
elated
pique

determined
impulsive
curious
empathetic
bittersweet
resolved

courageous
enthusiastic

grateful
hopeful
fulfilled
pleased
fortunate
content
comfortable

keepsake
memoir

ポジティブ

reminisce

on a high
over the moon

motivated
full of beans

take difficulties in one's stride

行動・状態

[感情] ❶

92

単語	日本語訳	言い換え・関連語
□□□ **bliss** [blís] 名 不 ▶ 反 sorrow	至福	**joy**
□□□ **keepsake** [kíːpsèik] 名 可	思い出の品、記念の品、形見	**memento**
□□□ **memoir** [mémwɑr] 名 可	回顧録、自叙伝	**autobiography**
□□□ **reminisce** [rèmənís] 自 動 ▶ 名 reminiscence 形 reminiscent	思い出にふける、思い出を語る	**recall**
□□□ **pique** [píːk] 他 動 ▶ 反 calm	関心を引く、興味をそそる	**excite**
□□□ **astonished** [əstɑniʃt] 形 ▶ 動 astonish 名 astonishment	非常に驚いている	**astounded, surprised, shocked, appalled**
□□□ **appalled** [əpɔːld] 形 ▶ 動 appall	愕然としている	**shocked, surprised, astounded, astonished**
□□□ **astounded** [əstáundid] 形 ▶ 動 astound	びっくり仰天している	**shocked, surprised, appalled, astonished**

例文の日本語訳	例文	備考
良い本とお茶を飲みながら静かな夜を過ごすのは至福のひとときです。	**Spending a quiet evening with a good book and a cup of tea is pure bliss.**	
そのネックレスは祖母の形見で、私がとても大切にしているものです。	**The necklace is a keepsake from my grandmother and is something I cherish deeply.**	
彼は回顧録の中で、世界中を旅して得た見識あふれるエピソードを披露しています。	**In his memoir, he shares insightful stories from his travels around the world.**	発音に注意（フランス語由来）。
私たちは古いアルバムを見ながら、子ども時代の冒険を回想しました。	**We reminisced about our childhood adventures over old photo albums.**	スペルに注意。
そのミステリー小説は、最初のページから彼女の興味をそそりました。	**The mystery novel piqued her curiosity from the very first page.**	後にone's curiosityやinterestを置くことが多い。
彼女の成長ぶりには非常に驚かされました。	**I was astonished by how much she'd grown.**	これらの、もともとの動詞が過去分詞形になった形の形容詞は、be動詞もしくはfeelの後に置いて使う。もしその状態になるという「変化」を表したい場合はgetの後に置いて使う。場合によっては、seem/look/soundも一緒に使える。
それを見て、私は愕然としました。	**I was appalled by what I saw.**	「驚く」グループの中でもネガティブさが少し入ってくる表現。
この判決は、皆をびっくり仰天させました。	**The judge's decision astounded everyone.**	

93

単語	日本語訳	言い換え・関連語
□□□ **composed** [kəmpóuzd] 形 ▶ 動 compose oneself 反 agitated	落ち着いている	collected, serene, calm, peaceful, relaxed
□□□ **collected** [kəléktəd] 形 ▶ 動 collect	落ち着いている	composed, serene, calm, peaceful, relaxed
□□□ **serene** [sərí:n] 形 ▶ 名 serenity 副 serenely	落ち着いている	composed, collected, calm, peaceful, relaxed
□□□ **perplexed** [pəplékst] 形 ▶ 動 perplex 名 perplexity	当惑している	confused, puzzled
□□□ **agitated** [ǽdʒitèitəd] 形 ▶ 動 agitate 名 agitation	動揺している、焦っている	upset, nervous
□□□ **upset** [ʌpsét] 形 ▶ 動 upset	動揺している、腹を立てている	agitated, nervous
□□□ **uneasy** [ʌní:zi] 形 ▶ 名 uneasiness 副 uneasily	不安である	anxious, insecure, worried
□□□ **anxious** [ǽŋkʃəs] 形 ▶ 名 anxiousness 副 anxiously	不安である	uneasy, insecure, worried
□□□ **insecure** [ìnsikjúər] 形 ▶ 名 insecurity 反 secure	不安である	uneasy, anxious, worried

	例文の日本語訳	例文	備考
	彼は顔色が悪かったが、完全に落ち着いていました。	**He was pale but perfectly composed.**	
	彼女は落ち着いているように見えました。	**She appeared calm and collected.**	
	彼女は相変わらずの穏やかな顔をしていました。	**She looked as calm and serene as ever.**	
	彼は彼女の突然の行動の変化に当惑していました。	**He was perplexed by the sudden change in her behavior.**	
	彼女は、時間通りに到着しようと焦っていました。	**She was agitated about getting there on time.**	
	彼女は、夫が自分に内緒で仕事を辞めたことに腹を立てていました。	**She was upset that her husband had left his job without telling her.**	この単語は「動揺させる、怒らせる」という動詞として使われる場合もかなり多い。
	彼がいると不安になりました。	**His presence made me feel uneasy.**	
	私たちは皆、彼の健康と体調を心配していました。	**We were all anxious about his health and well-being.**	
	ほとんどのお母さんは、自分がうまくやっているかどうか、不安を感じています。	**Most moms feel insecure about how they are doing.**	

[感情] ❸

94

単語	日本語訳	言い換え・関連語
□□□ **vulnerable** [vʌlnərəbl] 形 ▶ 名 vulnerability 副 vulnerably	弱い、傷つきやすい	sensitive, susceptible
□□□ **susceptible** [səséptəbl] 形 ▶ 名 susceptibility 副 susceptibly	弱い、傷つきやすい	sensitive, vulnerable
□□□ **determined** [ditə:rmənd] 形 ▶ 動 determine	決意している	resolved
□□□ **resolved** [rizɑlvd] 形 ▶ 動 resolve	決意している	determined
□□□ **grateful** [gréitfl] 形 ▶ 名 gratefulness 副 gratefully	感謝している	thankful, appreciative
□□□ **hopeful** [hóupfl] 形 ▶ 副 hopefully	期待している	optimistic
□□□ **content** [kəntént] 形 ▶ 反 dissatisfied	満足している	satisfied, fulfilled
□□□ **fulfilled** [fulfíld] 形 ▶ 動 fulfill	満たされている	content, satisfied
□□□ **pleased** [plí:zd] 形 ▶ 動 please	喜んでいる	happy, delighted

例文の日本語訳	例文	備考
厳しい批判を受けてから、彼は弱気になりました。	He felt vulnerable after the harsh criticism.	
適切な手洗いをしないと風邪をひきやすくなってしまいます。	People are more susceptible to colds if they don't wash their hands properly.	
彼女は彼と結婚することを決意していました。	She was determined to marry him.	動詞の「determine」は「決意する」、形容詞 の「determined」は決意「している」状態を指す。
困難にもかかわらず、彼女は最後まで学位取得の決意を持ちつづけました。	She remained resolved to finish her degree despite the challenges.	determinedと同様。
彼女は、私が仕事を持っていること自体に感謝しなければならないと考えているようです。	She seems to think I should be grateful for a job.	
彼は、面接の結果にあまり期待をしていませんでした。	He wasn't very hopeful about the outcome of the interview.	
今の仕事に満足しています。	I'm content with my current job.	
夢がかなった今、毎日満たされた気分です。	Now that my dream has come true, I feel fulfilled every day.	
彼女は試験の結果をとても喜んでいました。	She was very pleased with her exam results.	

■◀)) 95

単語	日本語訳	言い換え・関連語
□□□ **exhilarated** [igzílәreitәd] 形 ▶ 名 exhilaration 動 exhilarate	うきうきしている	**excited, delighted**
□□□ **thrilled** [θrild] 形 ▶ 動 thrill	感激している	**delighted, over the moon**
□□□ **touched** [tʌtʃt] 形 ▶ 動 touch	感動している	**moved**
□□□ **moved** [múːvd] 形 ▶ 動 move	感動している	**touched**
□□□ **elated** [iléitәd] 形 ▶ 副 elatedly	大喜びである、大得意になっている	**delighted**
□□□ **fortunate** [fɔ́rtʃәnәt] 形 ▶ 副 fortunately 反 unfortunate	幸運である	**lucky, blessed**
□□□ **impulsive** [impʌ́lsiv] 形 ▶ 副 impulsively	衝動的な	**impetuous**
□□□ **impetuous** [impétʃuәs] 形 ▶ 副 impetuously	衝動的な、せっかちな	**impulsive**
□□□ **offended** [әféndid] 形 ▶ 動 offend	気分を害している	**disturbed, annoyed**

	例文の日本語訳	例文	備考
	海辺を歩いていると、うきうきした気分になりました。	**We felt exhilarated by our walk along the beach.**	
	私たちは、彼女の素晴らしい知らせを聞いて感激しました。	**We were thrilled to hear her wonderful news.**	
	彼がまだ私のことを覚えていてくれたことに感動しました。	**I was touched that he still remembered me.**	
	彼女は、彼の言葉にとても感動していました。	**She was very moved by what he said.**	
	昇進の知らせを受けたとき、私は有頂天になり、すぐに家族にお祝いの電話をかけました。	**When I received the news of my job promotion, I was elated and immediately called my family to celebrate.**	
	このような協力的なコミュニティに出会えたことを幸運に思いました。	**I felt fortunate to have found such a supportive community.**	
	子どもは衝動的で落ち着きがない傾向があります。	**Children tend to be impulsive and restless.**	
	彼は、まったくせっかちではありませんでした。	**He was not impetuous at all.**	
	このような発言に、彼らは気分を害しました。	**They were offended by these remarks.**	I don't mean to offend you. などのように、動詞の形としてもよく使われる。

家族
コミュニケーション
テクノロジー
休日
文化
食べ物
教育
言語
場所
仕事
お金
感情

[感情] ❺

96

単語	日本語訳	言い換え・関連語
□□□ **annoyed** [ənɔ́id] 形 ▶ 動 annoy	いらいらしている	**irritated, frustrated**
□□□ **irritated** [íriteitəd] 形 ▶ 名 irritation 動 irritate	いらいらしている	**annoyed, frustrated**
□□□ **exasperated** [igzɑːspəreitəd] 形 ▶ 動 exasperate	憤慨している、激怒している	**furious**
□□□ **furious** [fjúəriəs] 形 ▶ 名 furiousness	憤慨している、激怒している	**exasperated**
□□□ **frustrated** [frʌstréitəd] 形 ▶ 名 frustration 動 frustrate	悔しい思いをしている	**annoyed, irritated**
□□□ **humiliated** [hjuːmílièitəd] 形 ▶ 名 humiliation 動 humiliate	屈辱的な思いをしている	**embarrassed, ashamed**
□□□ **embarrassed** [imbǽrəst] 形 ▶ 動 embarrass	恥ずかしがっている	**humiliated, ashamed**
□□□ **bored** [bɔrd] 形 ▶ 動 bore 反 motivated	退屈している	**not interested**

	例文の日本語訳	例文	備考
	彼の私に対する態度に非常にいらつきました。	I was extremely **annoyed** by his attitude toward me.	
	彼女は工事現場からの絶え間ない騒音にいらだっていました。	She was **irritated** by the constant noise from the construction site.	
	彼女は憤慨し、一休みすることにしました。	She felt **exasperated** and decided to take a break.	発音に注意。
	彼は自分のプロジェクトが無期限に延期されたことを知って激怒しました。	He was **furious** when he found out his project had been postponed indefinitely.	
	彼は、自分に不利な状況になると、非常に悔しい思いをしました。	He felt extremely **frustrated** when things went against him.	
	あんなに屈辱的な思いはしたことがありませんでした。	I'd never felt so **humiliated** in all my life.	
	彼はいつも恥ずかしい時はぶつぶつ言っています。	He always mumbles when he's **embarrassed**.	
	私たちは 彼の終わりのない話に退屈してしまいました。	We got **bored** with his endless talk.	

[感情] ❻

■◀)) 97

単語	日本語訳	言い換え・関連語
☐☐☐ **indifferent** [indífərənt] 形 ▶ 名 indifference 副 indifferently	無関心である	**apathetic**
☐☐☐ **apathetic** [æpəθétik] 形 ▶ 反 interested	無関心である	**indifferent**
☐☐☐ **empathetic** [èmpəθétik] 形 ▶ 副 empathetically	共感している、共感力がある	**sympathetic**
☐☐☐ **motivated** [móutivèitəd] 形 ▶ 動 motivate	やる気がある	**encouraged**
☐☐☐ **mistrustful** [mìstrʌ́stfəl] 形 ▶ 動 mistrust	不信感を抱いている	**suspicious**
☐☐☐ **curious** [kjúəriəs] 形 ▶ 名 curiosity 副 curiously	知りたがっている	**interested**
☐☐☐ **courageous** [kəréidʒəs] 形 ▶ 名 courage	勇敢である	**brave, fearless**
☐☐☐ **comfortable** [kʌ́mftəbl] 形 ▶ 名 comfortableness 副 comfortably 反 uncomfortable	くつろいでいる	**relaxed**
☐☐☐ **miserable** [mízərəbəl] 形 ▶ 名 misery	みじめである	**depressed**

	例文の日本語訳	例文	備考
	新作映画の大騒ぎにもかかわらず、彼女は無関心なままでした。	**Despite the hype around the new movie, she remained indifferent.**	
	ミーティング中、チームは無関心で、やる気を失っていました。	**The team felt apathetic and disengaged during the meeting.**	
	彼女は共感力があり、生徒と深くつながることができます。	**She is empathetic, which allows her to connect deeply with her students.**	
	カンファレンスでの感動的なスピーチの後、彼はやる気が出ました。	**He felt motivated after the inspiring speech at the conference.**	
	コンピュータに対して強い不信感を抱いている人もいます。	**Some people are very mistrustful of computers.**	
	この先どうなるのか、とても気になりました。	**I was very curious to see what was going to happen next.**	「好奇心の強い」というように、性格を描写する単語としても使われる。
	彼は間違っていました。そして、それを認めるだけの勇気がありました。	**He was wrong, and courageous enough to admit it.**	
	本当に良い友人は、自分が自分らしくあることを心地よく感じさせてくれます。	**A really good friend makes you feel comfortable being yourself.**	
	彼女はなんとなく緊張しているような、みじめな表情をしていました。	**She looked somehow strained and miserable.**	

[感情] ❼

98

単語	日本語訳	言い換え・関連語	
□□□ **powerless** [páuərləs] 形 ▶ 副 powerlessly 反 powerful	無力を感じている	**helpless**	
□□□ **enthusiastic** [inθjùːziǽstik] 形 ▶ 名 enthusiasm 副 enthusiastically	熱狂的である	**eager, keen, passionate**	
□□□ **long-lasting** [lɔ́ŋlɑ́ːstiŋ] 形 ▶ 反 short-lived	長く続く	**lengthy**	
□□□ **bittersweet** [bítəswìːt] 形	(経験・思い出などが)うれしくもあり悲しくもある	-	
□□□ **envious** [énviəs] 形	うらやましく思っている	**jealous**	
□□□ **timid** [tímid] 形	臆病である	**frightened**	
□□□ **horrified** [hɔ́ːrəfàid] 形	ぞっとしている、怖がっている	**scared**	
□□□ **weary** [wíəri] 形	疲れている	**tired**	

	例文の日本語訳	例文	備考
	災害を前にして無力感を感じていたのです。	**They felt powerless in the face of disaster.**	
	初日の観客は熱狂的でした。	**The audience was enthusiastic on opening night.**	
	離婚が子どもに与える影響は長く続く可能性があります。	**The impact of divorce on children can be long-lasting.**	
	大学卒業はうれしさとほろ苦さを伴うひとときでした。	**Graduating from college was a bittersweet moment.**	
	友人のIT企業での新しい仕事をうらやましく思いました。	**I was envious of my friend's new job at the tech company.**	
	大勢の人の前で話すことに臆病になっていました。	**I felt timid when speaking in front of large crowds.**	
	彼女は事故の真相を知ってぞっとしました。	**She was horrified to discover the truth about the accident.**	
	長いハイキングの後、私はとても疲れ、休息が必要でした。	**After the long hike, I felt very weary and needed to rest.**	

［感情　熟語］❶

99

単語	日本語訳	言い換え・関連語
□□□ **lasting impression** ［lǽstiŋ impréʃən］ 名 可	心に残る印象	**lasting impact**
□□□ **something to remember** ［sʌm θ ìŋ tə rimémbər］ 代	忘れられないもの	**memory**
□□□ **take difficulties in one's stride** ［téik dífikʌltiz］ 動	落ちついて困難を受け止める	-
□□□ **get a grip** ［get ə gríp］ 動	落ちつく、気を引き締める	**compose oneself**
□□□ **take someone back** ［téik bǽk］ 動	過去を思い出させる	**remind**
□□□ **bring back memories** ［bríŋ bǽk méməris］ 動	思い出させる	**remind, take someone back**
□□□ **feel under the weather** ［fíːl ʌndər ðə wéðər］ 動	体調が良くない	**not feel good**
□□□ **feel blue** ［fíːl blúː］ 動	落ち込む	**feel sad/ depressed**
□□□ **freak out** ［fríːk áut］ 動	パニックになる	**go crazy**

	例文の日本語訳	例文	備考
	彼らの寛大さは、私の心に残りました。	Their generosity made a lasting impression on me.	
	私の誕生日に友人たちが企画してくれたサプライズ・パーティーは、本当に忘れられないものになりました。	The surprise party my friends organized for my birthday was indeed something to remember.	
	彼は困難をうまく受け止めているようでした。	He seemed to be taking the difficulties in his stride.	
	彼は、そろそろ気を引き締めなければならないと思いました。	He decided it was time to get a grip.	
	この写真を見て、私は子供の頃のことを思い出しました。	These pictures took me back to the days when I was a child.	
	古い校舎を訪ねて、子どもの頃の思い出がよみがえりました。	Visiting the old school house brought back memories of my childhood.	通常、複数形で使う。
	まだちょっと体調が悪かったんです。	I was still feeling a bit under the weather.	
	友人の悲報を聞いて、彼女は落ち込みました。	She felt blue after hearing the sad news about her friend.	
	準備が出来ていなかったので、試験が近づいていることにパニックになっていました。	I was freaking out about my upcoming exam because I hadn't prepared.	

［感情　熟語］❷

100

単語	日本語訳	言い換え・関連語	
□□□ **make one's blood boil** [méik blʌd bɔil] 動	頭に血がのぼる（ほど怒る）	**infuriate**	
□□□ **be lost for words** [bíː lɔst fər wəːrdz] 動	言葉を失っている	**be speechless**	
□□□ **blow off steam** [blóu ɔf stíːm] 動	うっぷんを晴らす、ストレスを解消する	-	
□□□ **walk down memory lane** [wɔk dáun méməri léin] 動	思い出にふける	**reminisce**	
□□□ **down in the dumps** [dáun in ðə dʌmps] 形	落ち込んでいる	**depressed**	
□□□ **lose one's temper** [luz témpər] 動	激怒する、カッとなる		
□□□ **on a high** [ɑn ə hái] 形	ハイテンションだ	**over the moon**	
□□□ **over the moon** [óuvər ðə múːn] 形	大喜びしている	**on cloud nine**	
□□□ **full of beans** [fúl əv bíːnz] 形	元気いっぱいである	**lively, energetic**	

	例文の日本語訳	例文	備考
	この街の人の運転の仕方には頭に血が上ります。	**The way people drive in this city makes my blood boil.**	
	サプライズ・パーティを前にして、彼女は言葉を失いました。	**When she saw the surprise party, she was lost for words.**	
	仕事で大変な1週間を過ごした後、ストレス解消と心の整理のために長めのランニングをしました。	**After a challenging week at work, I went for a long run to blow off steam and clear my mind.**	
	彼らは思い出をたどり、子ども時代の冒険を回想することにしました。	**They decided to walk down memory lane and reminisce about their childhood adventures.**	
	なぜだかわからないけど、最近、落ち込んでいるんです。	**I don't know why, but lately, I've been feeling down in the dumps.**	
	子どもたちの態度があまりにひどかったので、父親はカッとなってしまいました。	**The children behaved so badly that their father lost his temper.**	
	記事が掲載されて以来、彼女はハイテンションです。	**She's been on a high since her article was published.**	
	彼らは日本への旅に大喜びでした。	**They were over the moon about their trip to Japan.**	
	彼は長い眠りの後、元気いっぱいに戻りました。	**He was full of beans again after his long sleep.**	

練習問題

Question 1

What usually makes you happy?

I feel content and grateful when I spend time with my daughters and husband. I try to go out with my family as much as possible. Additionally, I love to read books and watch movies.

普段はどんなことが嬉しいですか？
娘たちや夫と一緒に過ごすと、充実感と感謝の気持ちでいっぱいになります。なるべく家族で外に出るようにしています。さらに、本を読んだり、映画を見たりするのも好きです。

Question 2

What do you do to stay happy？

I have difficulty feeling pleased all the time, and it is rather common for me to feel blue. So I try to find a way to cope with these feelings, instead of always striving to feel happy. For example, I go hiking, read a favorite book, or take a relaxing bath.

＊cope with: ～に対処する

＊strive to: ～する努力をする

幸せでいるためにしていることは何ですか？
いつも幸せを感じるのは難しくて、すごく落ち込むこともわりとよくあります。なので、いつも幸せを感じる努力ではなく、悲しいときの対処法を持つようにしています。例えば、ハイキングしたり、好きな本を読んだり、お風呂でリラックスするなどです。

Question 3

Is being happy essential?

The importance of being happy cannot be overemphasized. People are uneasy and insecure these days and want to lead a positive and stress-free life.

＊overemphasize:強調しすぎる

幸せであることは不可欠ですか？
幸せであることの重要性は、いくら強調してもし過ぎることはありません。現代人は、不安を抱えており不安定で、ポジティブでストレスのない生活を送りたいと考えています。

Question 4

Do you think it's good to show your emotions when you're angry?

I believe it's important to express your emotions, especially if you have a close relationship with a family member or other close friends and anticipate

maintaining that bond. I always make sure that when I am irritated with my husband, I don't hide it, but make it clear that I am frustrated and that I am expressing my feelings.

怒ったときに感情を表に出すのは良いことだと思いますか？
家族など親しい間柄で、今後も付き合いがある場合は見せた方がいいと思います。どんなことでイラつくのかを知ってもらうことです。私はいつも夫に怒るときは、隠さず、怒っていることをはっきり伝え、自分の感情を表現するようにしています。

Question 5

Are people in your country happier than they were 30 years ago?

No, not exactly. 30 years ago, people had only one route to fulfillment. Now that lifestyles have diversified and options have increased dramatically, people feel insecure and less motivated.

＊now that:今や～なので

あなたの国の人々は、30年前よりも幸せですか？
いいえ、幸せではありません。30年前、人々は幸せになるためのルートを1つしか持っていませんでした。ライフスタイルが多様化し、選択肢が飛躍的に増えた今、人々は不安を感じ、やる気を低下させています。

Question 6

Do you think a person's work can affect their happiness?

If a person's career isn't enjoyable, they'll be miserable. Conversely, if they enjoy their work, they feel satisfied. I think that helping other people can be a rewarding career path. Working to better other people's lives makes everyone content, including those doing the work!

＊conversely:逆に

＊rewarding:やりがいがある

＊better:良くする（この場合、動詞として使われている）

仕事は、人の幸福度に影響すると思いますか？

もし、その人のキャリアが楽しくなければ、悲惨なことになるでしょう。逆に、仕事が楽しければ、満足できるものです。私は、人の役に立つ仕事は、やりがいのある仕事だと思います。人の人生をより良くするために働くことは、その仕事をしている人たちをも幸せにするのです。

A

B

C

F

Index

Index

M

N

O

P

Q

R

T

著者
中林くみこ（なかばやし・くみこ）
IELTS 実施主体 IDP Education セミナー講師
カナダのトロントで語学学校を 10 年経営。カナダで初めて日本人特化の IELTS コースを設立し、これまで 5,000 人以上に指導。IELTS 対策をはじめ、TOEIC、英文法、ビジネス英語、翻訳、通訳、英会話などさまざまなコースで教えてきた。中でも、IELTS はセミナー、グループ・マンツーマン指導、オンライン講座、通信講座と幅広い形で教鞭をとり、ツボをおさえたテクニックと効率重視の学習法により短期間のスコアアップを実現。高校生から MBA を目指すビジネスマンまで、多くの成功体験を与えている。
オリジナル教材やカリキュラム作りも数多くこなす。延べ 50 人以上のネイティブ講師やバイリンガル講師へ指導法のトレーニングを行う。東京オリンピックのマニュアル翻訳、日本人アーティストの海外ツアー同行通訳、大型投資案件の金融通訳も行ってきた。「英語の悩みの 9 割はインプット不足」「英語は『英語道』である」「英語は才能ではなく努力の結果」といった、スパルタ気味の持論をブログに展開し、英語学習者の支持を多く集めている。IELTS8.5、TOEIC990 点（満点）取得。
公式サイト

分野別×言い換え力　スピーキング攻略　IELTS 英単語

2024 年 6 月 24 日 初版発行
2024 年 10 月 11 日 第 5 刷発行

著者	中林くみこ
発行者	石野栄一
発行	明日香出版社
	〒 112-0005 東京都文京区水道 2-11-5
	電話 03-5395-7650
	https://www.asuka-g.co.jp
カバーデザイン	小口翔平＋須貝美咲（tobufune）
本文デザイン	金澤浩二
組版	野中賢／安田浩也（システムタンク）
校正	Stephen Boyd
印刷・製本	中央精版印刷株式会社

ISBN 978-4-7569-2336-3